DESSERTS
ADDICT

VALENTIN NÉRAUDEAU

DESSERTS ADDICT

··

PHOTOGRAPHIES DE
MASSIMO PESSINA

··

35 DESSERTS

**ULTRA-
GOURMANDS**
et leur
VERSION
LIGHT

LAROUSSE

21, rue du Montparnasse - 75283 Paris Cedex 06

SOMMAIRE

C'est très jeune que Valentin Néraudeau commence sa carrière de chef.
Doué, énergique, il enchaîne les expériences auprès des plus grands
avant d'ouvrir plusieurs adresses de renom à Toulouse et à Paris,
tout en se faisant remarquer brillamment lors de la troisième saison
de l'émission *Top Chef*. Très engagé dans la pratique d'une cuisine
qui soit compatible avec sa passion pour le sport et la forme,
il est aujourd'hui consultant et chef à domicile.

J'ADORE LES DESSERTS !

Si j'ai écrit cet ouvrage, c'est avant tout car je suis très très gourmand ; depuis toujours, j'ai su que mon premier livre serait dédié à des recettes sucrées.

Comme sûrement beaucoup d'entre vous, je ne peux pas manger de sucreries sans limite, d'autant plus que rester en excellente forme physique est essentiel à mes yeux. Pour moi, bien manger ne se limite pas à vouloir rester mince, c'est une philosophie et une démarche bien plus larges. Je ne voulais pas écrire un livre de pâtisseries classiques, riches et caloriques, qu'il est impossible de déguster quotidiennement. Et je parle en connaissance de cause : j'ai eu mes périodes gourmandes et j'ai dû mettre beaucoup d'énergie pour revenir à mon poids de forme.

J'ai mis trois ans à préparer ce livre. Le point de départ a été ma passion pour les fruits, qui remonte à ma plus tendre enfance. Ce sont mes meilleurs souvenirs : travailler dans le jardin avec mon grand-père, cuisiner avec ma grand-mère. Je me souviens de chaque minute passée à cueillir et à préparer les fraises, les framboises, les pommes du jardin ; nous faisions même du sirop de cassis. C'est de là qu'est née ma vocation : devenir chef ! J'aime imaginer, créer, explorer, cuisiner et, vous l'aurez compris, en particulier les desserts. Aujourd'hui, rien n'a changé, je ne conçois pas de desserts sans fruits, si bien que même quand je réalise une recette au chocolat, j'en ajoute toujours quelques-uns : cerises, myrtilles…

Ma démarche a d'abord consisté à rassembler mes desserts gourmands préférés. Ce sont des recettes simples qui mélangent des textures et goûts différents et qui sont toujours visuellement belles et abouties. Car un dessert doit être beau et appétissant : on le découvre d'abord avec les yeux et seulement après avec les papilles. Ensuite, j'ai inventorié tout ce qui compose ces recettes afin de les reconstituer ingrédient par ingrédient en version plus légère, plus digeste, moins grasse ou moins sucrée. J'ai donc modifié parfois les proportions et intégré des produits alternatifs. Par exemple, j'ai remplacé le sucre blanc par des sucres naturels non raffinés comme le muscovado, ou très peu caloriques comme la stévia. Parfois, j'ai simplement gardé le sucre naturel des fruits à maturité : il n'y avait pas besoin de sucrer davantage.

Petit à petit, tout s'est enchaîné de façon logique. Je me suis rendu compte que je pouvais remplacer par exemple le mascarpone, bien riche, par de la faisselle, bien plus légère, ou la farine par de la fécule pour arriver à un résultat délicieux et nettement moins calorique que dans la recette d'origine.

Vous avez le fruit de ce travail entre les mains : pour chaque dessert, deux recettes. L'une en version gourmande, riche, pour les jours de fête ou de grand froid, ou simplement quand l'envie vous en prendra. L'autre en version light, mais toujours aussi belle et délicieuse, avec une structure simplement repensée et des ingrédients judicieusement choisis pour en alléger la valeur énergétique.

La bonne nouvelle ? Vous pouvez préparer ces desserts sans aucune difficulté, car en réécrivant les recettes, j'ai tout fait pour que votre tâche soit la plus facile possible. Cela fait plus de 20 ans maintenant que je cuisine. Toutes mes expériences, depuis mes premiers restaurants, en passant par les concours que j'ai gagnés, les grands chefs auprès desquels j'ai travaillé, m'ont permis de faire ce travail avec passion et précision. Vous le verrez, les recettes sont très accessibles et vous pourrez vous les approprier très facilement.

Un petit mot sur les ingrédients : vous trouverez tout ce dont vous avez besoin dans votre magasin habituel ou au rayon bio le plus proche de chez vous. Je voulais rester simple et ne pas intégrer de produits rares, difficiles à trouver, qui vous obligeraient à faire des kilomètres. Aujourd'hui, on trouve tout, même les farines d'épeautre ou de maïs dans la plupart des supermarchés. Je compte sur vous pour vous fournir en fruits de belle qualité et de saison, bio si vous le pouvez, c'est tellement meilleur... Au fond, c'est la vraie clef du manger sain.

Maintenant, à vous de jouer, lancez-vous, version light ou gourmande, tous ces desserts n'attendent que vous, amusez-vous et, surtout, régalez-vous !

Valentin Néraudeau

POUR RÉALISER UN COULIS
Faites bouillir l'eau avec les fruits pendant 1 min. Ôtez du feu, ajoutez la stévia et mixez rapidement dans un récipient assez haut. C'est prêt !

COULIS D'ABRICOTS ❶
250 g d'abricots dénoyautés
+ 180 g d'eau + 40 g de stévia

COULIS D'ANANAS ❷
250 g d'ananas coupé
en petits morceaux
+ 180 g d'eau + 40 g de stévia

COULIS DE MÛRES ❸
250 g de mûres + 180 g d'eau
+ 40 g de stévia

LES

COULIS KIWI-MENTHE ❹
250 g de morceaux de kiwis
+ 6 feuilles de menthe
+ 180 g d'eau + 40 g de stévia

COULIS DE FRAMBOISES ❺
250 g de framboises
+ 180 g d'eau + 40 g de stévia

COULIS DE POIRES ❻
250 g de poires en morceaux
+ ½ gousse de vanille
+ 180 g d'eau + 40 g de stévia

COULIS

MATÉRIEL

Lorsque j'ai commencé à réfléchir à l'écriture de ce livre, j'ai voulu que les recettes soient faciles à réaliser et qu'elles ne demandent pas de matériel sophistiqué ni coûteux, car je souhaitais que mes gourmandises soient à la portée de chacun.

Les gâteaux que vous allez découvrir se préparent le plus souvent dans des **moules à manqué** ou des **cadres**. En métal ou silicone, ils sont faciles à utiliser. Les cadres sont à poser sur une plaque recouverte de papier sulfurisé. Vous les trouverez au rayon cuisine de votre supermarché.

Mon grand allié pour battre les œufs en neige, monter une chantilly ou pétrir rapidement une pâte à tarte, c'est le **batteur électrique.** Il permet d'obtenir des préparations impeccables, de bonnes textures et, en plus, on gagne du temps !

Pour mélanger les ingrédients, j'utilise toujours de grands récipients. Les préparations y sont plus homogènes, les mélanges se font mieux. Et, surtout, le plan de travail est propre, car il n'y a pas de risque d'éclaboussures. Mon conseil : investissez dans un grand **récipient en Inox,** ou cul-de-poule, il vous rendra de grands services sans s'altérer avec le temps.

La **spatule en plastique,** souple, est parfaite pour faire les mélanges, incorporer délicatement les blancs en neige ou une chantilly à une préparation, étaler uniformément une crème et aussi pour bien racler les récipients.

Pour décorer mes desserts, j'aime utiliser la **poche à douille.** Je dépose la chantilly ou les crèmes en petites boules, pointes, vagues, selon la fantaisie du jour. Le dessert prend aussitôt un air de fête ! J'utilise le plus souvent la douille unie n° 8, mais rien de vous empêche d'en choisir d'autres. Les poches à douille jetables sont très pratiques.

Enfin, pour réaliser les coulis de fruits qui accompagnent souvent mes desserts, j'utilise un **mixeur plongeant** et je mixe dans un récipient assez étroit, à bord haut, qui évite les éclaboussures.

RECETTES DE PRINTEMPS

—

Feuilles de basilic pour la fraîcheur

Des fraises pleines de parfum !

Sablé gourmand

763 calories

GOURMAND

SABLÉ COC

La fraise est chaque année très attendue sur les étals. Déclinée en de nombreuses variétés telle la gariguette ou bien la mara des bois, elle est riche en vitamines et minéraux. Elle se déguste très bien crue, mais convient aussi parfaitement à des pâtisseries cuites.

Noix de coco fraîche pour l'arôme

Sablé léger

411 calories

LIGHT

D & FRAISE

SABLÉ COCO & FRAISE

GOURMAND

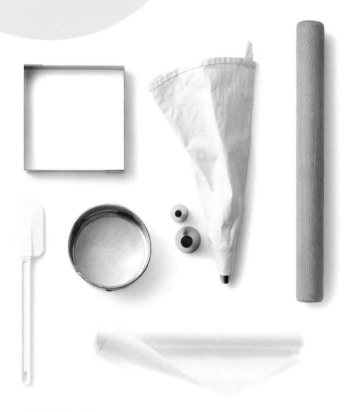

MATÉRIEL

POUR 6 PARTS	
PRÉPARATION 20 MIN	
RÉFRIGÉRATION 30 MIN	CUISSON 25 MIN
INGRÉDIENTS	

SABLÉ
- 4 jaunes d'œufs
- 160 g de sirop d'érable
- 230 g de farine
- 6 g de levure chimique
- 50 g de noix de coco fraîchement râpée
- 160 g de beurre demi-sel en pommade

CHANTILLY
- ½ gousse de vanille
- 400 g de crème liquide entière très froide
- 90 g de sucre glace

GARNITURE
- 600 g de fraises
- Quelques feuilles de basilic

1. SABLÉ

Au batteur, faites blanchir les jaunes d'œufs et le sirop d'érable jusqu'à obtenir un mélange bien mousseux, puis ajoutez la farine et la levure préalablement tamisées, la noix de coco et le beurre. Mélangez juste ce qu'il faut pour obtenir une pâte homogène.

2.

Déposez la pâte sur une feuille de papier sulfurisé, couvrez d'une autre feuille, puis étalez-la au rouleau sur une épaisseur d'environ 1,5 cm. Laissez reposer 30 min au frais.

3.

Retirez ensuite la première feuille et découpez la pâte avec l'emporte-pièce carré de 18 cm de côté, en retirant l'excédent de pâte autour du cadre. Transférez la pâte avec le papier sur une plaque. Faites cuire au four 25 min à 180 °C.

4. CHANTILLY

Grattez les graines de la vanille avec un couteau. Mettez tous les ingrédients dans la cuve du batteur et fouettez jusqu'à obtenir une crème ferme et onctueuse. Remplissez-en la poche à douille.

5.

Lorsque le sablé est froid, garnissez-le de chantilly. Surmontez-le de fraises coupées en quatre et décorez de feuilles de basilic.

6.

Dégustez aussitôt.

SABLÉ COCO & FRAISE

LIGHT

POUR 6 PARTS	
PRÉPARATION 20 MIN	
RÉFRIGÉRATION 30 MIN	CUISSON 25 MIN
INGRÉDIENTS	

SABLÉ
- 4 jaunes d'œufs
- 40 g de miel
- 2 c. à soupe de stévia
- 225 g de farine
- 6 g de levure chimique
- 50 g de noix de coco fraîchement râpée
- 4 c. à soupe rases d'huile de coco

CHANTILLY
- ½ gousse de vanille
- 100 g de crème liquide entière très froide
- 1 c. à café de stévia

GARNITURE
- 600 g de fraises
- Quelques copeaux de noix de coco

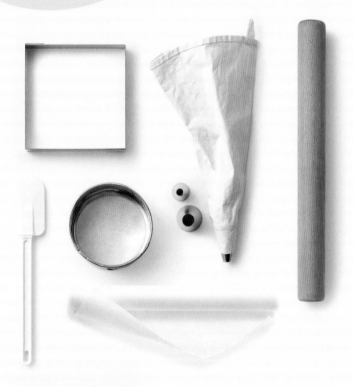

MATÉRIEL

ASTUCE

Pour cette version light, la chantilly est faite avec une petite quantité de crème. Pour la monter facilement, utilisez de préférence un siphon à chantilly.

20

1. SABLÉ

Au batteur, faites blanchir les jaunes d'œufs avec le miel et la stévia jusqu'à obtenir un mélange bien mousseux, puis ajoutez la farine et la levure préalablement tamisées, la noix de coco et l'huile de coco fondue. Mélangez juste ce qu'il faut pour obtenir un mélange homogène.

2.

Déposez la pâte sur une feuille de papier sulfurisé, couvrez d'une autre feuille, puis étalez-la au rouleau sur une épaisseur d'environ 1,5 cm. Laissez prendre 30 min au frais.

3.

Retirez ensuite la première feuille et découpez la pâte avec l'emporte-pièce carré de 18 cm de côté, en retirant l'excédent de pâte autour du cadre. Transférez la pâte avec le papier sur une plaque. Faites cuire au four 25 min à 180 °C.

4. CHANTILLY

Grattez les graines de la vanille avec un couteau. Mettez tous les ingrédients dans la cuve du batteur et fouettez jusqu'à obtenir une crème ferme et onctueuse. Remplissez-en la poche à douille.

5.

Lorsque le sablé est froid, garnissez-le de quelques pointes de chantilly. Surmontez-les de fraises coupées en quatre et décorez de copeaux de noix de coco.

6.

Dégustez aussitôt.

Le zeste de citron vert pour le pep's

Chantilly

Crème au praliné gourmande

Dacquoise à la noisette

929 calories

GOURMAND

SUCCÈS À

Fruit tropical à chair jaune, la mangue est riche
en fibres, en antioxydants et en vitamine C.
On la trouve sur les étals toute l'année.
Pour la sélectionner, fiez-vous à son parfum !

*Morceaux
de mangue fraîche*

*Crème au praliné
légère*

*Dacquoise
allégée*

597 calories

LIGHT

A MANGUE

SUCCÈS À LA MANGUE

GOURMAND

MATÉRIEL

POUR 6 PARTS	
PRÉPARATION 45 MIN	CUISSON 15-20 MIN

INGRÉDIENTS

DACQUOISE NOISETTE
- 40 g de farine
- 130 g de sucre glace + pour saupoudrer
- 90 g de noisettes en poudre
- 90 g d'amandes en poudre
- 190 g de blancs d'œufs
- 70 g de sucre en poudre

CRÈME MOUSSELINE AU PRALINÉ
- 2 jaunes d'œufs
- 50 g de sucre en poudre
- 10 g de farine
- 10 g de fécule de maïs
- 25 cl de lait
- ½ gousse de vanille
- 75 g de praliné
- 150 g de beurre

CHANTILLY
- ½ gousse de vanille
- 400 g de crème liquide entière très froide
- 90 g de sucre glace

GARNITURE
- 1 mangue
- 1 citron vert

1. DACQUOISE NOISETTE

Dans un récipient, tamisez la farine et le sucre glace, puis ajoutez les noisettes en poudre préalablement torréfiées et les amandes en poudre. Montez les blancs en neige avec le sucre en poudre jusqu'à obtenir la consistance d'une meringue. Ajoutez les ingrédients secs et mélangez délicatement avec la spatule.

2.

Étalez la dacquoise à l'aide de la spatule sur une plaque recouverte de papier sulfurisé en un disque de 2 cm d'épaisseur au moins et d'environ 24 cm de diamètre. Saupoudrez d'un peu de sucre glace et faites cuire au four 15 à 20 min à 170 °C. Laissez refroidir.

3. CRÈME MOUSSELINE AU PRALINÉ

Mélangez les jaunes d'œufs et le sucre, ajoutez la farine et la fécule. Dans une casserole, faites bouillir le lait avec les graines et la gousse de vanille, puis le praliné. Ajoutez le mélange aux œufs en fouettant. Laissez cuire quelques instants pour obtenir une texture crémeuse. Transférez dans un récipient et ajoutez le beurre petit à petit en fouettant. Remplissez la poche à douille de la crème.

4. CHANTILLY

Grattez les graines de la vanille avec un couteau. Mettez tous les ingrédients dans la cuve d'un batteur et fouettez jusqu'à obtenir une crème ferme et onctueuse. Remplissez-en la poche à douille (n° 8).

5.

Découpez la dacquoise à l'aide de l'emporte-pièce de 22 cm de diamètre pour avoir un bord bien net. Réalisez des pointes de chantilly au centre, puis de crème mousseline à l'extérieur. Décorez avec des dés de mangue et des zestes râpés de citron vert.

6.

Mettez au frais jusqu'au moment de servir.

SUCCÈS À LA MANGUE

LIGHT

POUR 6 PARTS	
PRÉPARATION 45 MIN	CUISSON 15-20 MIN
INGRÉDIENTS	

DACQUOISE NOISETTE
- 40 g de farine de châtaigne
- 40 g de fécule de maïs
- 50 g de sucre glace + pour saupoudrer
- 90 g de noisettes en poudre
- 90 g d'amandes en poudre
- 190 g de blancs d'œufs
- 30 g de stévia

CRÈME MOUSSELINE AU PRALINÉ
- 30 g de sirop d'agave
- 1 c. à soupe de miel toutes fleurs
- 2 jaunes d'œufs
- 10 g de farine
- 10 g de fécule de maïs
- 25 cl de lait
- ½ gousse de vanille
- 75 g de praliné
- 50 g de beurre

GARNITURE
- 2 mangues
- 2 brins de menthe

1. DACQUOISE NOISETTE

Dans un récipient, tamisez la farine, la fécule et le sucre glace, puis ajoutez les noisettes en poudre préalablement torréfiées et les amandes en poudre. Montez les blancs en neige avec la stévia jusqu'à obtenir la consistance d'une meringue. Ajoutez les ingrédients secs et mélangez délicatement avec la spatule.

2.

Étalez la dacquoise à l'aide de la spatule sur une plaque recouverte de papier sulfurisé en un disque de 2 cm d'épaisseur au moins et d'environ 24 cm de diamètre. Saupoudrez d'un peu de sucre glace et faites cuire au four 15 à 20 min à 170 °C. Laissez refroidir.

3. CRÈME MOUSSELINE AU PRALINÉ

Mélangez le sirop d'agave, le miel et les jaunes d'œufs, puis ajoutez la farine et la fécule.

4.

Dans une casserole, faites bouillir le lait avec les graines et la gousse de vanille, puis le praliné. Ajoutez le mélange aux œufs tout en fouettant. Laissez cuire quelques instants pour obtenir une texture crémeuse. Transférez dans un récipient et ajoutez le beurre petit à petit tout en fouettant. Remplissez-en la poche à douille.

5.

Découpez la dacquoise à l'aide de l'emporte-pièce de 22 cm de diamètre pour avoir un bord bien net. Garnissez de crème mousseline et décorez avec des dés de mangue et des brins de menthe.

6.

Mettez au frais jusqu'au moment de servir.

Zeste de pamplemousse
pour le parfum

Zeste
de citron vert

Chantilly
gourmande

GOURMAND

Biscuit
moelleux

612 calories

MOELLEUX AU

Peu calorique, le pamplemousse est gorgé d'eau, riche en vitamine C et en potassium. Celui à la pulpe rose est plus sucré, parfait pour les desserts. Pensez à utiliser son zeste pour parfumer la pâte de vos gâteaux !

Pamplemousse rose frais

Moelleux allégé pour la ligne !

259 calories

LIGHT

PAMPLEMOUSSE

MOELLEUX AU PAMPLE-MOUSSE

GOURMAND

MATÉRIEL

POUR 6 PARTS	
PRÉPARATION 30 MIN	CUISSON 30 MIN

INGRÉDIENTS

MOELLEUX
- 2 œufs (ou 1 œuf et 2 c. à soupe bombées de mascarpone)
- 100 g de sucre en poudre + 1 ou 2 c. à café
- 100 g de farine
- ½ sachet de levure chimique
- 1 pamplemousse rose
- 120 g de beurre

CHANTILLY
- ½ gousse de vanille
- 400 g de crème liquide entière très froide
- 90 g de sucre glace

GARNITURE
- 1 pamplemousse rose
- 1 citron vert

1. MOELLEUX

Faites blanchir les œufs avec 100 g de sucre. Ajoutez la farine et la levure, puis mélangez bien. Pressez le pamplemousse, incorporez 10 cl de son jus, puis le beurre fondu.

2.

Versez la pâte dans le moule à manqué carré de 20 cm de côté, beurré et fariné. Faites cuire au four 30 min à 180 °C.

3.

Dès la sortie du four, démoulez le gâteau et versez dessus 10 cl du jus de pamplemousse sucré avec le reste de sucre. Laissez refroidir.

4. CHANTILLY

Grattez les graines de la vanille avec un couteau. Mettez tous les ingrédients dans la cuve d'un batteur et fouettez jusqu'à obtenir une crème ferme et onctueuse. Remplissez-en la poche à douille.

5. GARNITURE

Coupez le moelleux en 6 parts et garnissez-les de chantilly. Prélevez les suprêmes du pamplemousse et coupez-les en morceaux, puis zestez le citron vert. Décorez-en les gâteaux.

6.

Dégustez aussitôt.

MOELLEUX AU PAMPLE-MOUSSE

LIGHT

MATÉRIEL

POUR 6 PARTS	
PRÉPARATION 30 MIN	CUISSON 30 MIN
INGRÉDIENTS	

MOELLEUX
- 2 œufs (ou 1 œuf et 2 c. à soupe bombées de mascarpone)
- 50 g de sucre muscovado
- 100 g de farine de sarrasin
- ½ sachet de levure chimique
- 1 pamplemousse rose
- 50 g d'huile de coco

GARNITURE
- 2 pamplemousses roses

1. <u>MOELLEUX</u>

Faites blanchir les œufs avec le sucre. Ajoutez
la farine et la levure, puis mélangez bien. Pressez
le pamplemousse, incorporez 10 cl de son jus,
puis l'huile de coco fondue.

2.

Versez la pâte dans le moule à manqué carré de 20 cm
de côté, beurré et fariné. Faites cuire au four 30 min
à 180 °C.

3.

Dès la sortie du four, démoulez le gâteau et versez
dessus 10 cl du jus de pamplemousse. Laissez refroidir.

4. <u>GARNITURE</u>

Coupez le moelleux en 6 parts. Prélevez les suprêmes
des pamplemousses et décorez-en les gâteaux.
Dégustez aussitôt.

PETIT CONSEIL

Respectez bien la température
et le temps de cuisson du biscuit pour
qu'il garde toute sa souplesse.

Ananas au sirop
maison

Chantilly
vanillée

Biscuit

Un peu de confiture
de lait pour
la gourmandise

GOURMAND

GÂTEAU RENVE

753 calories

Dés d'ananas frais
car on aime les fruits !

Riche en fibres et en vitamines, l'ananas possède un parfum unique. Venu des îles, il apportera une touche exotique dans vos desserts d'hiver et du printemps !

Biscuit allégé

LIGHT

423 calories

SÉ À L'ANANAS

GÂTEAU RENVERSÉ À L'ANANAS

GOURMAND

MATÉRIEL

POUR 6 PARTS	
PRÉPARATION 25 MIN	CUISSON 30 MIN
INGRÉDIENTS	

ANANAS AU SIROP
- 80 g de sucre en poudre
- 200 g d'eau
- ½ ananas frais

GÂTEAU
- 150 g de beurre
- 150 g de sucre en poudre
- 250 g de farine
- 1 sachet de levure chimique
- 5 œufs

CHANTILLY VANILLÉE
- ½ gousse de vanille
- 1 c. à soupe d'extrait de vanille liquide
- 250 g de crème liquide entière très froide
- 65 g de sucre glace

1. ANANAS AU SIROP

Préparez un sirop avec le sucre et l'eau. Faites-y pocher l'ananas coupé en tranches.

2. GÂTEAU

Faites fondre le beurre et ajoutez le sucre. Incorporez ensuite la farine et la levure tamisées, puis ajoutez en fouettant les œufs un par un et un peu de sirop de l'ananas poché.

3.

Mettez les tranches d'ananas au fond du moule à manqué carré de 18 cm de côté, beurré. Versez dessus la pâte et faites cuire au four 30 min à 180 °C. Laissez refroidir, puis démoulez le gâteau en le retournant sur un plat.

4. CHANTILLY VANILLÉE

Grattez les graines de la vanille avec un couteau. Mettez tous les ingrédients dans la cuve d'un batteur et fouettez jusqu'à obtenir une crème ferme et onctueuse. Remplissez-en la poche à douille.

5.

Garnissez le gâteau de pointes de chantilly vanillée. Vous pouvez l'accompagner d'un peu de confiture de lait.

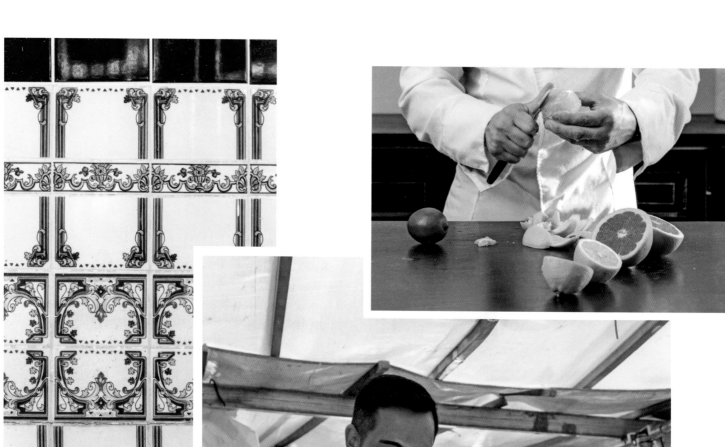

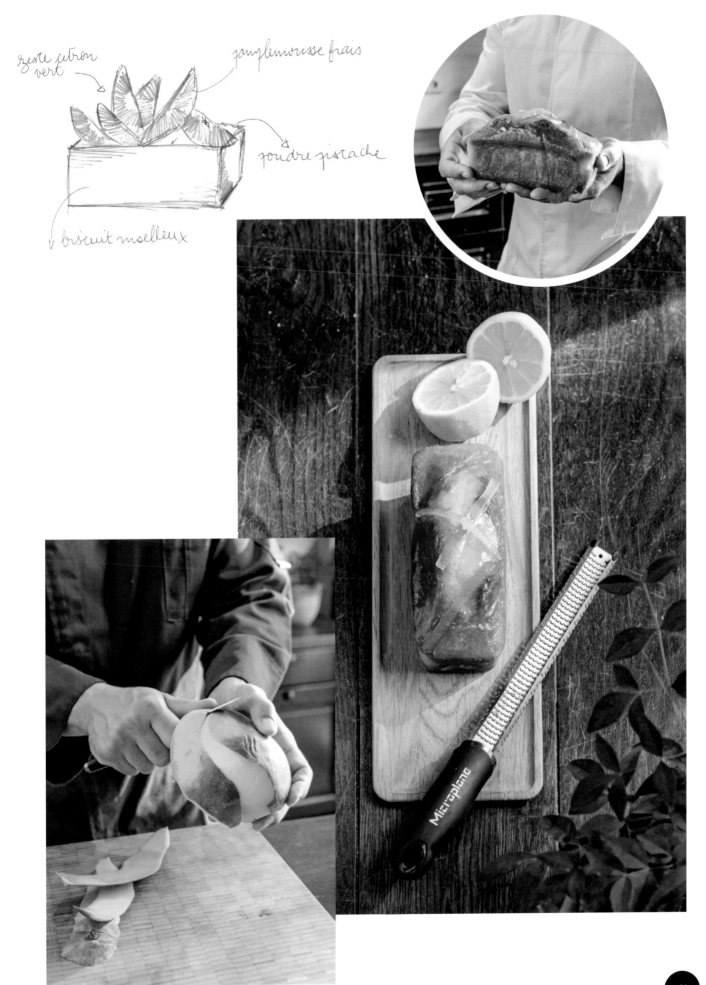

zeste citron vert

pamplemousse frais

poudre pistache

biscuit moelleux

Cacao

Crème
à l'amaretto

Rondelles
de banane

Confiture
de lait

Sablé breton

927 calories

GOURMAND
BANOFFE

La banane est un fruit des pays chauds.
Source d'énergie, d'oligoéléments
et de vitamines, elle se marie très bien avec
la vanille, la coco ou bien le caramel.

Dés de banane

Sablé allégé

Confiture
de lait

338 calories

De la chantilly
pour les plus gourmands

LIGHT

BANANE

BANOFFEE BANANE

GOURMAND

MATÉRIEL

POUR 6 PARTS	
PRÉPARATION 25 MIN	CUISSON 15 MIN
INGRÉDIENTS	

SABLÉ BRETON
- 165 g de beurre demi-sel à température ambiante
- 90 g de sucre glace
- 70 g d'amandes en poudre
- 2 jaunes d'œufs
- 125 g de farine

CRÈME À L'AMARETTO
- 500 g de crème liquide entière très froide
- 220 g de sucre en poudre
- 1 c. à soupe d'extrait de vanille liquide
- 2 c. à soupe d'amaretto
- 1 c. à soupe de mascarpone très froid

GARNITURE
- 100 g de confiture de lait
- 2 grosses bananes pas trop mûres
- Cacao en poudre

1. SABLÉ BRETON

Mélangez le beurre, le sucre glace et les amandes en poudre avec la spatule jusqu'à ce que la préparation soit lisse et homogène. Incorporez les jaunes d'œufs, puis la farine.

2.

Étalez la pâte sur une plaque recouverte de papier sulfurisé, puis découpez-la à l'aide du cadre carré de 18 cm de côté et retirez l'excédent de pâte autour du cadre. Faites cuire au four 15 min à 150 °C.

3. CRÈME À L'AMARETTO

Mettez tous les ingrédients dans la cuve d'un batteur et montez la crème bien ferme. Remplissez-en la poche à douille.

4. GARNITURE

Étalez la confiture de lait sur le sablé. Coupez le sablé en 6 parts, puis déposez des rondelles de banane dessus. Garnissez de crème à l'amaretto et saupoudrez de cacao.

5.

Dégustez !

Crème glacée

*Crumble coco
bien croquant*

Pommes caramélisé

429 calories

GOURMAND

CRUMBLE CO

Entière, râpée, en lait ou en crème, la noix de coco est un fruit exotique qui invite aux vacances... Riche en lipides, en fibres et possédant une bonne valeur nutritive, elle se décline dans de nombreuses recettes, tant sucrées que salées.

Sorbet allégé

Une fine couche de crumble

Pommes crues

271 calories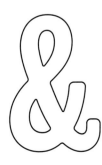

LIGHT

CO & POMME

CRUMBLE COCO & POMME

GOURMAND

MATÉRIEL

POUR 6 PORTIONS	
PRÉPARATION 20 MIN	CUISSON 15 MIN
INGRÉDIENTS	

- 2 boules de crème glacée de votre choix
- 4 brins de menthe

CRUMBLE COCO
- 50 g de noix de coco râpée
- 50 g de beurre en pommade
- 50 g de farine • 50 g de sucre

POMMES CARAMÉLISÉES
- 6 pommes Pink Lady
- 200 g de sucre • 1 c. à soupe d'eau
- 20 g de beurre • 1 fève tonka

1. CRUMBLE COCO

Mettez la noix de coco, le beurre, la farine et le sucre dans le bol d'un batteur. Mixez jusqu'à obtenir un mélange homogène. Étalez-le sur une plaque recouverte de papier sulfurisé et faites cuire au four 15 min à 180 °C.

2. POMMES CARAMÉLISÉES

Pendant ce temps, épluchez les pommes et taillez-les en petits dés. Réalisez un caramel avec le sucre et l'eau. Hors du feu, ajoutez le beurre, puis les pommes et un peu de fève tonka râpée. Remettez à cuire 2 min sans remuer, puis mélangez pour enrober les fruits de caramel. Laissez cuire encore 10 min.

3.

Déposez des pommes caramélisées au fond de 6 verrines, puis ajoutez des quenelles de crème glacée. Répartissez le crumble et décorez de brins de menthe.

CRUMBLE COCO & POMME

LIGHT

MATÉRIEL

POUR 6 PORTIONS	
PRÉPARATION 20 MIN	CUISSON 15 MIN
INGRÉDIENTS	

CRUMBLE COCO

• 50 g de noix de coco râpée • 3 c. à soupe rases d'huile de coco • 50 g de farine de sarrasin • 40 g de sucre muscovado

POMMES VANILLÉES

• 6 pommes Pink Lady • 1 citron
• 50 g de sucre muscovado
• ½ gousse de vanille • 1 fève tonka

GARNITURE

• 2 boules de sorbet allégé de votre choix
• 4 brins de menthe

1. CRUMBLE COCO

Mettez la noix et l'huile de coco fondue, la farine et le sucre dans le bol d'un batteur. Mixez jusqu'à obtenir un mélange homogène. Étalez-le sur une plaque recouverte de papier sulfurisé et faites cuire au four 15 min à 180 °C.

2. POMMES VANILLÉES

Épluchez les pommes, puis taillez-les en petits dés. Arrosez-les de jus de citron pour qu'elles ne noircissent pas. Mélangez-les avec le sucre, les graines de vanille et un peu de fève de tonka râpée.

3. GARNITURE

Déposez des pommes vanillées au fond de 6 verrines, puis ajoutez le crumble et des quenelles de sorbet. Décorez de brins de menthe.

RECETTES D'ÉTÉ
—

Framboises
fraîches

Chantilly
gourmande

314 calories

GOURMAND

PAVLOVA À L

Comme les mûres, les framboises sont fragiles
et riches en antioxydants. Les plus connues
sont les framboises roses, mais il en existe
de différentes couleurs : jaunes, noires, oranges,
blanches... De quoi colorer vos desserts !

*Beaucoup
de fruits !*

*Meringue
caramélisée*

73 calories

LIGHT

FRAMBOISE

PAVLOVA À LA FRAMBOISE

GOURMAND

MATÉRIEL

POUR 6 PARTS	
PRÉPARATION 20 MIN	CUISSON 1 H 30
INGRÉDIENTS	

MERINGUE
- 4 blancs d'œufs
- 1 c. à soupe de fécule de maïs
- 200 g de sucre en poudre

CHANTILLY
- 230 g de crème liquide entière très froide
- 50 g de sucre glace • ½ gousse de vanille

GARNITURE
- 25 framboises • Sucre glace

1. MERINGUE

Montez les blancs en neige. Quand ils commencent à être fermes, ajoutez la fécule, puis le sucre petit à petit. Battez jusqu'à ce que la meringue devienne brillante et qu'elle forme des « becs d'oiseau » au bout du fouet. Étalez la meringue sur une plaque recouverte de papier sulfurisé en un carré de 18 cm de côté. Faites cuire au four 1 h 30 à 120 °C (le dessus de la meringue sera bien caramélisé). Laissez refroidir.

2. CHANTILLY

Mettez tous les ingrédients dans la cuve d'un batteur et fouettez jusqu'à obtenir une crème ferme et onctueuse. Remplissez-en une poche à douille.

3. GARNITURE

Au moment de servir, passez les framboises dans un torchon humide. Étalez la chantilly sur la meringue et disposez les fruits harmonieusement. Saupoudrez de sucre glace. Servez aussitôt.

PAVLOVA À LA FRAMBOISE

LIGHT

MATÉRIEL

POUR 6 PARTS	
PRÉPARATION 20 MIN	CUISSON 1 H 30
INGRÉDIENTS	

MERINGUE
- 4 blancs d'œufs
- 1 c. à soupe de fécule de maïs
- 40 g de sucre de canne
- 20 g de stévia

GARNITURE
- 250 g de framboises

1. MERINGUE

Montez les blancs en neige au batteur. Quand ils commencent à être fermes, ajoutez la fécule, puis le sucre de canne, petit à petit, et la stévia. Battez jusqu'à ce que la meringue devienne brillante et qu'elle forme des « becs d'oiseau » au bout du fouet. Étalez-la sur une plaque recouverte de papier sulfurisé en un carré de 18 cm de côté. Faites cuire au four 1 h 30 à 120 °C (le dessus de la meringue sera bien caramélisé). Laissez refroidir.

2. GARNITURE

Au moment de servir, passez les framboises dans un torchon humide. Disposez les fruits harmonieusement sur la meringue et servez aussitôt. Vous pouvez servir un peu de chantilly à part.

Éclats de noix
de macadamia
pour le croquant

Crème montée

Abricots
confits
au sirop

Crumble avec
beaucoup de saveur

1356 calories

GOURMAND
ENTREMETS

*Basilic
bien parfumé*

**Contenant des fibres et des antioxydants,
l'abricot est le fruit de l'été par excellence.
Lorsqu'il est séché, il devient une grande source
d'énergie que les sportifs apprécient beaucoup !**

*La douceur
des abricots*

Le coulis

488 calories

LIGHT

À L'ABRICOT

ENTREMETS À L'ABRICOT

GOURMAND

MATÉRIEL

POUR 6 PARTS	
PRÉPARATION 40 MIN	RÉFRIGÉRATION 2 H 10

INGRÉDIENTS

PÂTE AUX SPÉCULOOS
- 250 g de spéculoos
- 100 g de beurre

CHEESECAKE
- 800 g de fromage frais type Philadelphia®
- 100 g de crème fraîche épaisse
- 3 œufs entiers + 1 jaune
- 220 g de sucre en poudre
- 40 g de farine
- 3 feuilles de gélatine

ABRICOTS AU SIROP LÉGER
- 4 abricots
- 200 g de sucre en poudre
- 400 g d'eau
- 3 feuilles de gélatine

CHANTILLY
- ½ gousse de vanille
- 400 g de crème liquide entière très froide
- 90 g de sucre glace

DÉCOR
- Poudre de spéculoos
- 50 g de noix de macadamia

1. PÂTE AUX SPÉCULOOS

Concassez finement les spéculoos ou mixez-les. Mélangez-les avec le beurre fondu. À l'aide d'une cuillère, tassez le mélange dans le cadre carré de 18 cm de côté, à bord haut, posé sur une plaque recouverte de papier sulfurisé. Placez au frais 10 min.

2. CHEESECAKE

Réhydratez la gélatine dans un bol d'eau froide. Faites chauffer le fromage frais avec la crème dans une casserole. Hors du feu, ajoutez les œufs entiers, les jaunes et le sucre, et mélangez vivement avec le fouet à main. Dès que la préparation est homogène, ajoutez la farine, remettez 3 à 5 min sur le feu, puis incorporez les feuilles de gélatine égouttées. Laissez tiédir, puis versez le cheesecake sur le fond de pâte. Mettez 2 h au frais.

3. ABRICOTS AU SIROP LÉGER

Plongez les abricots quelques secondes dans de l'eau bouillante pour pouvoir les éplucher facilement. Coupez-les en deux et dénoyautez-les. Préparez un sirop avec le sucre et l'eau. Dès qu'il bout, faites pocher les demi-abricots pendant 5 ou 6 min. Égouttez-les à l'aide de l'écumoire et laissez-les tiédir.

4.

Réhydratez la gélatine dans un bol d'eau froide. Mixez grossièrement les abricots, puis ajoutez la gélatine égouttée. Mélangez. Étalez les abricots en couche régulière sur le cheesecake.

5. CHANTILLY

Grattez les graines de la vanille avec un couteau. Mettez tous les ingrédients dans la cuve d'un batteur et fouettez jusqu'à obtenir une crème ferme et onctueuse. Remplissez-en la poche à douille.

6.

Retirez le cadre. Garnissez l'entremets de chantilly. Décorez de poudre de spéculoos et de noix de macadamia concassées. Dégustez frais.

ENTREMETS À L'ABRICOT

LIGHT

MATÉRIEL

POUR 6 PARTS	
PRÉPARATION 30 MIN	RÉFRIGÉRATION 2 H 10
INGRÉDIENTS	

PÂTE AUX SPÉCULOOS
- 250 g de spéculoos
- 60 g de d'huile de coco

CHEESECAKE
- 660 g de faisselle à 0 % de MG
- 80 g de crème fraîche épaisse allégée
- 3 œufs entiers + 2 jaunes
- 60 g de stévia
- 25 g de farine
- 3 feuilles de gélatine

ABRICOTS AU SIROP LÉGER
- 6 abricots
- 5 c. à soupe de sirop d'agave
- 500 g d'eau

DÉCOR
- Feuilles de basilic

1.

PÂTE AUX SPÉCULOOS

Concassez finement les spéculoos ou mixez-les. Mélangez-les avec l'huile de coco fondue. À l'aide d'une cuillère, tassez le mélange dans le cadre de 18 cm de côté, à bord haut, posé sur une plaque recouverte de papier sulfurisé. Placez au frais 10 min.

2.

CHEESECAKE

Réhydratez la gélatine dans un bol d'eau froide. Faites chauffer la faisselle avec la crème dans une casserole. Hors du feu, ajoutez les œufs entiers, les jaunes et la stévia, et mélangez vivement avec le fouet à main. Dès que la préparation est homogène, ajoutez la farine, remettez 3 à 5 min sur le feu, puis incorporez les feuilles de gélatine égouttées.

3.

Laissez tiédir, puis versez le cheesecake sur le fond de pâte. Mettez 2 h au frais.

4.

ABRICOTS AU SIROP LÉGER

Plongez les abricots quelques secondes dans de l'eau bouillante pour pouvoir les éplucher facilement. Coupez-les en deux, dénoyautez-les, puis recoupez-les en quartiers. Préparez un sirop avec le sirop d'agave et l'eau. Dès qu'il bout, faites pocher les demi-abricots 5 ou 6 min. Égouttez-les à l'aide de l'écumoire et laissez-les refroidir.

5.

Retirez le cadre. Surmontez l'entremets de quartiers d'abricot et décorez de feuilles de basilic.

6.

Dégustez frais. Pour plus de gourmandise, servez avec un coulis pêche-abricot ou un coulis de framboises.

Chantilly

Un milkshake fruité et onctueux

374 calories

GOURMAND

BOISSON
GLACÉE PAST

Aussi appelée « melon d'eau », la pastèque se déguste généralement l'été, et possède des vertus désaltérantes et rafraîchissantes grâce à sa forte teneur en eau. Considérée comme un fruit « light », son goût sucré sera parfait pour vos desserts de vacances !

Un smoothie léger et très rafraîchissant

142 calories

LIGHT

ÈQUE-FRAISE

MILKSHAKE PASTÈQUE-FRAISE

GOURMAND

MATÉRIEL

POUR 4 PERSONNES
PRÉPARATION 15 MIN
INGRÉDIENTS
• 500 g de fraises • 200 g de pastèque • 40 cl de lait entier • 3 boules de crème glacée à la fraise • 30 g de sucre vanillé • Une dizaine de glaçons CHANTILLY • 200 g de crème liquide très froide • 40 g de sucre glace

1.

Lavez, séchez et équeutez les fraises. Coupez-les en morceaux. Retirez la peau et les pépins de la pastèque, coupez la chair en morceaux.

2.

Mettez les fraises dans un blender, puis ajoutez la pastèque, le lait, la crème glacée, le sucre vanillé et les glaçons. Mixez jusqu'à obtenir un mélange onctueux et homogène. Versez le milkshake dans 4 verres.

3.

Mettez tous les ingrédients dans la cuve d'un batteur et fouettez jusqu'à obtenir une crème ferme et onctueuse. Déposez en un peu sur chaque milkshake et régalez-vous !

SMOOTHIE PASTÈQUE-FRAISE

LIGHT

MATÉRIEL

POUR 4 PERSONNES
PRÉPARATION 15 MIN
INGRÉDIENTS
• 500 g de fraises • ½ pastèque • 1 c. à soupe de jus de citron • 2 c. à soupe de glace pilée • ½ c. à café de stévia (facultatif)

1.

Lavez, séchez et équeutez les fraises. Coupez-les en morceaux. Retirez la peau et les pépins de la pastèque, coupez la chair en morceaux.

2.

Mettez les fruits dans un blender avec le jus de citron, la glace pilée et éventuellement la stévia. Mixez 2 min à puissance maximale. Versez le smoothie dans 4 verres et régalez-vous !

Fruits rouges
pour la fraîcheur

Chantilly
gourmande

Un biscuit moelleux
aux fruits

370 calories

GOURMAND

MOELLEUX AU

Délicate par son aspect fragile, et acide dans son goût, la groseille se récolte en été. Riche en vitamines et antioxydants, elle sera parfaite pour parfumer vos desserts, ou bien en simple décoration !

Fruits rouges en abondance

Petite touche de chantilly

Biscuit allégé et fruité

253 calories

LIGHT

GROSEILLES

MOELLEUX AUX GROSEILLES

GOURMAND

<u>MATÉRIEL</u>

POUR 6 PARTS	
PRÉPARATION 25 MIN	CUISSON 30 MIN

INGRÉDIENTS

MOELLEUX
- 2 œufs
- 12 cl de lait
- 120 g de sucre en poudre
- 120 g de farine
- ½ sachet de levure chimique
- 1 pincée de sel
- 125 g de groseilles + un peu pour le décor

CHANTILLY
- ½ gousse de vanille
- 250 g de crème liquide entière très froide
- ½ c. à soupe de mascarpone très froid
- 65 g de sucre glace

GARNITURE
- 80 g de framboises
- 50 g de groseilles

1. MOELLEUX

Battez les œufs dans un récipient. Ajoutez le lait et le sucre, puis mélangez. Ensuite, incorporez la farine, la levure et le sel. Ajoutez les groseilles et mélangez.

2.

Versez la pâte dans le moule à manqué carré de 18 cm de côté, beurré et fariné. Faites cuire au four 30 min à 200 °C. Laissez refroidir, puis démoulez.

3. CHANTILLY

Grattez les graines de la vanille avec un couteau. Mettez tous les ingrédients dans la cuve d'un batteur et fouettez jusqu'à obtenir une crème ferme et onctueuse. Remplissez-en la poche à douille.

4. GARNITURE

Réalisez des pointes de chantilly sur le gâteau et décorez de framboises et de groseilles.

5.

Dégustez frais.

MOELLEUX AUX GROSEILLES

LIGHT

MATÉRIEL

POUR 6 PARTS	
PRÉPARATION 25 MIN	CUISSON 30 MIN
INGRÉDIENTS	

MOELLEUX
- 2 œufs
- 12 cl de lait
- 4 c. à soupe de sucre muscovado
- 90 g de farine de riz
- 20 g de fécule de pomme de terre
- ½ sachet de levure chimique
- 1 pincée de sel
- 150 g de groseilles + un peu pour le décor

CHANTILLY
- ½ gousse de vanille
- 150 g de crème liquide entière très froide
- 15 g de stévia

GARNITURE
- 200 g de framboises
- 8 fraises
- 50 g de groseilles
- 4 brins de menthe

1. MOELLEUX

Battez les œufs dans un récipient. Ajoutez le lait et le sucre, puis mélangez. Ensuite, incorporez la farine, la fécule, la levure et le sel. Ajoutez les groseilles et mélangez.

2.

Versez la pâte dans le moule à manqué carré de 18 cm de côté, beurré et fariné. Faites cuire au four 30 min à 200 °C.

3. CHANTILLY

Grattez les graines de la vanille avec un couteau. Mettez tous les ingrédients dans la cuve d'un batteur et fouettez jusqu'à obtenir une crème ferme et onctueuse.

4. GARNITURE

Étalez la chantilly sur le gâteau et décorez de fruits rouges et de brins de menthe.

5.

Dégustez frais.

Melon caramélisé

*Crumble croquant
pour plus
de gourmandise*

*Crème glacée
pour accompagner*

389 calories

GOURMAND

TATIN D

Tout comme la pastèque, le melon est très rafraîchissant et se déguste l'été. On aime le consommer à n'importe quel repas, en entrée ou bien en dessert. Il est source de vitamines et d'antioxydants.

Melon cuit au miel

272 calories

LIGHT

MELON

TATIN DE MELON

GOURMAND

MATÉRIEL

POUR 6 PARTS	
PRÉPARATION 25 MIN	CUISSON 40 MIN
INGRÉDIENTS	

- 1 melon
- 100 g de sucre en poudre
- 360 g de fromage blanc à 20 % de MG
- 120 g de purée d'amande
- 100 g de farine
- ½ sachet de levure chimique
- 4 œufs

1.

Coupez le melon en deux, épépinez-le, puis coupez-le en quartiers. Épluchez-le, puis recoupez-le en lamelles. Saupoudrez de 20 g de sucre et laissez égoutter 10 min. Rangez les lamelles de melon dans le moule à manqué de 20 cm de diamètre, beurré.

2.

Mélangez le fromage blanc, la purée d'amande, puis la farine et la levure. Cassez les œufs en séparant les blancs des jaunes. Mélangez les jaunes avec 80 g de sucre et incorporez-les à la pâte.

3.

Montez les blancs en neige ferme, puis incorporez-les délicatement au mélange. Versez la pâte dans le moule et faites cuire au four 40 min à 170 °C. Laissez refroidir, puis démoulez la tatin en la retournant sur un plat. Dégustez tiède.

TATIN DE MELON

LIGHT

1.

Coupez le melon en deux, épépinez-le, puis coupez-le en quartiers. Épluchez-le, puis recoupez-le en lamelles. Mélangez-le avec le miel. Rangez les lamelles de melon dans le moule à manqué de 20 cm de diamètre, beurré.

2.

Mélangez le fromage blanc, la purée d'amande, puis la farine et la levure. Cassez les œufs en séparant les blancs des jaunes. Mélangez les jaunes avec la stévia et incorporez-les à la pâte.

MATÉRIEL

POUR 6 PARTS	
PRÉPARATION 25 MIN	CUISSON 40 MIN
INGRÉDIENTS	

- 1 melon
- 1 c. à soupe de miel
- 360 g de fromage blanc à 0 % de MG
- 80 g de purée d'amande
- 80 g de farine de petit épeautre
- ½ sachet de levure chimique
- 4 œufs
- 30 g de stévia

3.

Montez les blancs en neige ferme, puis incorporez-les délicatement au mélange. Versez la pâte dans le moule et faites cuire au four 40 min à 170 °C. Laissez refroidir, puis démoulez la tatin en la retournant sur un plat. Dégustez tiède.

MOELLEUX À LA NECTARINE

GOURMAND

MATÉRIEL

POUR 6 PARTS
PRÉPARATION 30 MIN
CUISSON 30-40 MIN
INGRÉDIENTS

MOELLEUX
- 3 œufs
- 200 g de sucre en poudre
- 150 g de farine
- ½ sachet de levure chimique
- 120 g de beurre
- 3 c. à soupe d'amandes effilées
- 2 nectarines

CHANTILLY
- ½ gousse de vanille
- 400 g de crème liquide entière très froide
- 90 g de sucre glace

GARNITURE
- 6 nectarines
- 2 pincées d'éclats de pistaches

1.

MOELLEUX

Battez les œufs et 100 g de sucre dans un récipient jusqu'à ce que le mélange soit bien mousseux. Ajoutez la farine et la levure, puis 90 g de beurre fondu et les amandes effilées.

2.

Épluchez et coupez 2 nectarines en quartiers. Dans le moule à manqué carré de 18 cm de côté, beurré, mettez le beurre restant en fines tranches, puis rangez des nectarines dessus, côté bombé vers le fond.

3.

Dans une casserole, versez le reste de sucre et réalisez un caramel. Versez-le sur les nectarines dans le moule, puis versez la pâte. Faites cuire au four 30 à 40 min à 180 °C. Laissez refroidir, puis démoulez le gâteau en le retournant sur un plat.

4.

CHANTILLY

Grattez les graines de la vanille avec un couteau. Mettez tous les ingrédients dans la cuve d'un batteur et fouettez jusqu'à obtenir une crème ferme et onctueuse. Remplissez-en la poche à douille.

5.

GARNITURE

Coupez le moelleux en 6 parts. Détaillez les nectarines en tranches. Garnissez le moelleux de chantilly, saupoudrez d'éclats de pistaches et décorez de tranches de nectarine.

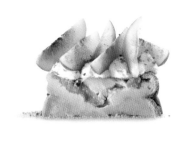

6.

Dégustez aussitôt.

MOELLEUX À LA NECTARINE

LIGHT

POUR 6 PARTS
PRÉPARATION 30 MIN
CUISSON 30-40 MIN
INGRÉDIENTS

MOELLEUX
- 3 œufs
- 50 g de sucre muscovado
- 120 g de farine de sarrasin
- ½ sachet de levure chimique
- 1 c. à soupe d'huile de coco

GARNITURE
- 6 nectarines

MATÉRIEL

1. MOELLEUX

Battez les œufs et le sucre dans un récipient jusqu'à que le mélange soit bien mousseux. Ajoutez la farine et la levure, puis l'huile de coco fondue.

2.

Versez la pâte dans le moule à manqué carré de 18 cm de côté, beurré et fariné, et faites cuire au four 30 à 40 min à 180 °C. Laissez refroidir.

3. GARNITURE

Épluchez et coupez les nectarines en petits dés. Coupez le moelleux en 6 parts et surmontez-les de dés de nectarine.

4.

Dégustez aussitôt.

SUGGESTION

Pour plus de gourmandise, servez le gâteau avec un coulis de framboises.

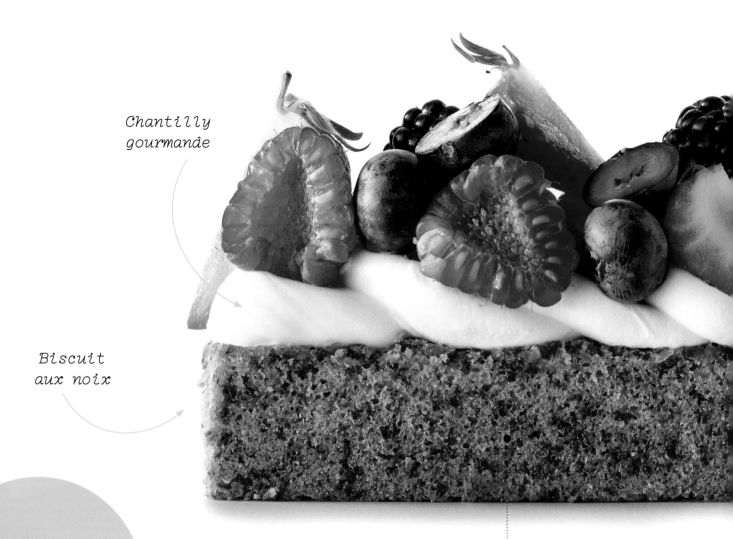

*Chantilly
gourmande*

*Biscuit
aux noix*

665 calories

BISCUIT
NOIX-NOISETTE A

Disponibles tout l'été et jusqu'au début de l'automne, les petits fruits rouges au goût acidulé se dégustent tels quels mais inspirent aussi la création de desserts. Ils sont riches en antioxydants, légers en calories et peuvent s'utiliser aussi bien crus que cuits.

Fruits rouges

Biscuit aux noisettes

382 calories

Chantilly framboise

LIGHT

X FRUITS ROUGES

BISCUIT AUX NOISETTES ET FRUITS ROUGES

LIGHT

MATÉRIEL

POUR 6 PARTS	
PRÉPARATION 30 MIN	CUISSON 40 MIN

INGRÉDIENTS

BISCUIT AUX NOISETTES
- 5 c. à soupe rases d'huile de coco
- 60 g de noisettes en poudre
- 80 g de sucre muscovado
- 2 œufs
- 100 g de farine
- 3 g de levure chimique

CHANTILLY FRAMBOISE
- ½ gousse de vanille
- 150 g de crème liquide entière très froide
- 15 g de stévia
- 50 g de coulis de framboises

GARNITURE
- 125 g de framboises
- 125 g de myrtilles
- 125 g de fraises
- 125 g de mûres

1. BISCUIT AUX NOISETTES

Dans le batteur, mélangez l'huile de coco fondue, 30 g de noisettes et 60 g de sucre muscovado pendant 5 min. Ajoutez les œufs, mélangez 3 min, puis incorporez la farine et la levure.

2.

Chemisez le moule à manqué de 20 cm de côté avec le beurre et un mélange de 30 g de noisettes et 20 g de sucre. Versez-y la pâte et faites cuire au four 40 min à 160 °C.

3. CHANTILLY FRAMBOISE

Grattez les graines de la vanille avec un couteau. Mettez tous les ingrédients dans la cuve du batteur et fouettez jusqu'à obtenir une crème ferme et onctueuse. Remplissez-en la poche à douille (n° 8).

4. GARNITURE

Coupez le biscuit en 6 parts. À l'aide de la spatule métallique, étalez dessus une fine couche de chantilly. Coupez les fruits en morceaux et disposez-les harmonieusement sur chaque part.

5.

Dégustez aussitôt.

Des figues séchées

558 calories

GOURMAND

Fraîche ou séchée, cuite ou crue,
la figue se consomme de différentes manières
et convient aussi bien pour les desserts
qu'aux plats salés. Cultivée depuis
des millénaires dans le bassin méditerranéen,
elle est riche en fibres et en antioxydants.

Des figues
fraîches

296 calories

LIGHT

ES À MA FAÇON

CAKE AUX FIGUES À MA FAÇON

GOURMAND

MATÉRIEL

POUR 6 PARTS	
PRÉPARATION 20 MIN	CUISSON 30 MIN
INGRÉDIENTS	

- 200 g de figues séchées
- 80 g de beurre
- 2 œufs
- 100 g de sucre en poudre
- 25 cl de lait
- 300 g de farine
- 1 sachet de levure chimique
- 1 pincée de sel

1.

Détaillez le beurre en lamelles et faites-le fondre. Cassez les œufs dans un récipient et battez-les avec le sucre. Ajoutez le beurre fondu, le lait et mélangez.

2.

Dans un autre récipient, mélangez la farine, la levure et le sel. Incorporez le tout à la préparation précédente. Versez la pâte dans le moule à cake de 21 cm de long, beurré. Répartissez les figues à la surface de la pâte ; elles vont s'enfoncer légèrement. Faites cuire au four 30 min à 180 °C, puis laissez refroidir.

3.

Dégustez avec une bonne crème glacée au caramel ou à la vanille.

CAKE AUX FIGUES À MA FAÇON

LIGHT

MATÉRIEL

POUR 6 PARTS	
PRÉPARATION 20 MIN	CUISSON 30 MIN
INGRÉDIENTS	

- 380 g de figues fraîches
- 1 citron
- 3 c. à soupe rases d'huile de coco
- 2 œufs
- 4 c. à soupe de stévia
- 25 cl de lait
- 120 g de farine de maïs
- 120 g de farine de sarrasin
- 1 sachet de levure chimique
- 1 pincée de sel

1.

Rincez les figues et coupez-les en petits morceaux. Zestez le citron et mélangez les zestes avec les figues.

2.

Faites fondre l'huile de coco. Cassez les œufs dans un récipient et battez-les avec la stévia. Ajoutez l'huile de coco fondue, le lait et mélangez.

3.

Dans un autre récipient, mélangez les farines, la levure et le sel. Incorporez le tout à la préparation précédente, puis ajoutez les figues citronnées. Versez la pâte dans un moule à cake de 21 cm de long, beurré. Faites cuire au four 30 min à 180 °C.

Chantilly
gourmande

Mûres fraîches

Crème glacée
à la vanille

Coulis
de mûres

Crumble
aux amandes

712 calories

GOURMAND

BLACK

Sorbet aux fruits
rouges

Crumble croustillant

Mûres fraîches

322 calories

LIGHT

BLACK MELBA

GOURMAND

MATÉRIEL

POUR 6 PARTS
PRÉPARATION 20 MIN
CUISSON 12 MIN
INGRÉDIENTS

• 70 cl de crème glacée à la vanille
• 125 g de mûres

CRUMBLE
• 80 g de beurre demi-sel
• 80 g de farine
• 80 g de sucre en poudre
• 80 g d'amandes en poudre

COULIS DE MÛRES
• 250 g de mûres
• 70 g de sucre glace
• ½ citron

CHANTILLY
• ½ gousse de vanille
• 200 g de crème liquide entière très froide
• 40 g de sucre glace

1. CRUMBLE

Mélangez les ingrédients du crumble pour obtenir une préparation sablée. Étalez le crumble sur une plaque recouverte de papier sulfurisé. Faites cuire au four 6 min à 180 °C. À l'aide de la spatule métallique, retournez le crumble sur la plaque en le concassant, tournez la plaque et remettez-la au four pour 6 min. Laissez refroidir.

2. COULIS DE MÛRES

Réservez quelques mûres entières pour le décor. Mixez les autres avec le sucre glace et le jus du citron pour obtenir un coulis. Réservez-le au frais.

3. CHANTILLY

Grattez les graines de la vanille avec un couteau. Mettez tous les ingrédients dans la cuve d'un batteur et fouettez jusqu'à obtenir une crème ferme et onctueuse.

4.

Dans 6 coupes, déposez le crumble au fond, ajoutez deux petites boules de glace et quelques mûres. Surmontez-les de chantilly et arrosez de coulis.

5.

Servez le reste du coulis à part. Vous pouvez parsemer le dessert d'un peu de menthe ciselée.

BLACK MELBA
LIGHT

MATÉRIEL

POUR 6 PARTS
PRÉPARATION 20 MIN
CUISSON 8-12 MIN
INGRÉDIENTS

- 60 cl de sorbet aux fruits rouges allégé
- 250 g de mûres
- 1 brin de menthe

CRUMBLE
- 80 g d'amandes en poudre
- 80 g de farine de riz
- 50 g d'huile de coco
- 50 g de sucre muscovado

COULIS DE MÛRES
- 250 g de mûres
- 3 c. à soupe de stévia
- ½ citron

1. CRUMBLE

Mélangez les ingrédients du crumble pour obtenir une préparation sableuse. Étalez-la sur une plaque recouverte de papier sulfurisé. Faites cuire au four 8 à 12 min à 180 °C. Laissez refroidir.

2. COULIS DE MÛRES

Mixez les mûres avec la stévia et le jus du citron pour obtenir un coulis. Réservez-le au frais.

3.

Dans 6 coupes, déposez des mûres et 2 petites boules de sorbet. Parsemez de crumble et décorez de feuilles de menthe. Servez le coulis à part.

4.

Dégustez aussitôt !

SUGGESTION

Vous pouvez réaliser ce dessert avec des myrtilles ou d'autres petits fruits rouges.

*La tarte tout juste
sortie du four !*

GOURMAND • *603 calories*

TARTE LINZE

Douce ou bien acidulée, la cerise est un fruit
très attendu lorsqu'arrivent les beaux jours.
Avec son goût unique et ses propriétés
nutritives, comme les vitamines A et C
et les antioxydants, elle reste très juteuse
et peut varier d'un rouge pâle à un bordeaux
presque noir !

Un cœur
cerise

Une garniture
légère au fromage blanc

426 calories

LIGHT

AUX CERISES

TARTE LINZER AUX CERISES

GOURMAND

MATÉRIEL

POUR 6 PARTS	
PRÉPARATION 25 MIN	
RÉFRIGÉRATION 2 H	CUISSON 30 MIN
INGRÉDIENTS	

PÂTE SUCRÉE
- 140 g de beurre • 75 g de sucre glace
- 1 pincée de sel • 1 œuf
- 25 g d'amandes en poudre • 250 g de farine

GARNITURE
- 100 g de fromage blanc à 20 % de MG
- 1 œuf • 2 c. à soupe de lait • 100 g de sucre
en poudre • 50 g d'amandes en poudre
- 500 g de cerises fraîches

1. PÂTE SUCRÉE

Au robot, battez le beurre, le sucre glace et le sel. Ajoutez l'œuf et les amandes en poudre. Mélangez jusqu'à ce que la préparation devienne crémeuse. Incorporez la farine et pétrissez jusqu'à obtenir une boule de pâte. Formez une galette, filmez et placez au moins 2 h au réfrigérateur.

2. GARNITURE

Fouettez le fromage blanc avec l'œuf, le lait et le sucre. Incorporez les amandes en poudre, puis les cerises dénoyautées.

3.

Étalez la pâte, puis garnissez-en le moule à cake de 21 cm de long en la faisant remonter jusqu'en haut. Passez le rouleau à pâtisserie sur le dessus pour couper la pâte qui dépasse. Versez la garniture et faites cuire au four 30 min à 180 °C. Servez accompagné d'un peu de crème fraîche.

TARTE LINZER AUX CERISES

LIGHT

MATÉRIEL

POUR 6 PARTS	
PRÉPARATION 25 MIN	
RÉFRIGÉRATION 2 H	CUISSON 30 MIN
INGRÉDIENTS	

PÂTE SUCRÉE
- 80 g de beurre • 2 c. à soupe de stévia
- 1 pincée de sel • 1 œuf
- 25 g d'amandes en poudre • 250 g de farine

GARNITURE
- 80 g de fromage blanc à 0 % de MG
- 1 œuf • 2 c. à soupe de lait
- 20 g de stévia • 50 g d'amandes en poudre
- 500 g de cerises fraîches

1. PÂTE SUCRÉE

Au robot, battez le beurre, la stévia et le sel. Ajoutez l'œuf et les amandes en poudre. Mélangez jusqu'à ce que la préparation devienne crémeuse. Incorporez la farine et pétrissez jusqu'à obtenir une boule de pâte. Formez une galette, filmez et placez au moins 2 h au réfrigérateur.

2. GARNITURE

Fouettez le fromage blanc avec l'œuf, le lait et la stévia. Incorporez les amandes en poudre, puis les cerises dénoyautées.

3.

Étalez la pâte, puis garnissez-en le moule à cake de 21 cm de long en la faisant remonter jusqu'en haut. Passez le rouleau à pâtisserie sur le dessus pour couper la pâte qui dépasse. Versez la garniture et faites cuire au four 30 min à 180 °C. Dégustez avec un coulis de fruits.

Mirabelles
confites

Crumble
bien croquant

J'aime quand
le parfait commence
à fondre

637 calories

GOURMAND

PARFAIT GLACÉ

Source de vitamines (A et C), d'oligoéléments et de fibres, elle est parfaite pour les tartes, crumbles ou clafoutis, tout comme pour les plats sucrés-salés. Hâtez-vous d'en profiter car sa saison est courte : elle n'apparaît sur les étals qu'entre la mi-août et fin septembre !

Petites mirabelles toutes fraîches

Un parfait light très aérien

131 calories

LIGHT

À LA MIRABELLE

PARFAIT GLACÉ À LA MIRABELLE

GOURMAND

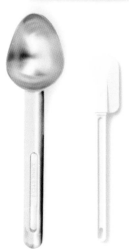

MATÉRIEL

POUR 6 PARTS
PRÉPARATION 30 MIN
RÉFRIGÉRATION 15 MIN
CUISSON 3 MIN
CONGÉLATION 2 H
INGRÉDIENTS

CRUMBLE
- 150 g de biscuits LU® Brun
- 80 g de beurre

PARFAIT
- 100 g de crème liquide entière très froide
- 150 g de sucre en poudre
- 70 g d'eau
- 14 jaunes d'œufs
- 1 c. à soupe d'alcool
ou de liqueur de mirabelle

MIRABELLES CONFITES
- 18 mirabelles rouges
- 150 g de sucre en poudre
- 3 c. à soupe d'eau

1. CRUMBLE

Concassez finement les sablés ou mixez-les, puis mélangez-les avec le beurre fondu. Étalez-les sur une plaque et mettez 15 min au réfrigérateur.

2. PARFAIT

Montez la crème en chantilly. Faites un sirop avec le sucre et l'eau. Quand il épaissit, le sirop forme des bulles épaisses. Versez le sirop chaud sur les jaunes d'œufs tout en fouettant et faites bien monter au batteur. Ajoutez l'alcool et incorporez délicatement la chantilly. Versez la préparation dans un moule à manqué et placez au congélateur pendant 2 h.

3. MIRABELLES CONFITES

Coupez les mirabelles en deux et dénoyautez-les. Dans une poêle, faites fondre le sucre avec l'eau et réalisez un caramel blond. Ajoutez les mirabelles et faites cuire 3 min à feu vif. Réservez dans une assiette.

4.

Mettez un peu de crumble dans les assiettes. À l'aide d'une cuillère à glace, prélevez des boules de parfait et déposez-en deux dans chaque assiette, puis décorez avec les mirabelles confites.

5.

Vous pouvez ajouter quelques feuilles de basilic en décor. Dégustez sans tarder !

PARFAIT GLACÉ À LA MIRABELLE

LIGHT

POUR 6 PARTS
PRÉPARATION 30 MIN
RÉFRIGÉRATION 15 MIN
CONGÉLATION 2 H
INGRÉDIENTS

PARFAIT
- 5 œufs
- 1 pincée de sel
- 6 c. à soupe de stévia
- 9 c. à soupe de fromage blanc à 0 % de MG
- 1 c. à café d'extrait de vanille liquide

GARNITURE
- 18 mirabelles rouges

MATÉRIEL

1. PARFAIT

Cassez les œufs en séparant les blancs des jaunes.
Montez les blancs en neige avec le sel. Battez les
jaunes avec la stévia jusqu'à obtenir une préparation
homogène et crémeuse.

2.

Ajoutez l'extrait de vanille et le fromage blanc, puis
incorporez délicatement les blancs en neige. Versez
la préparation dans un moule à manqué carré de
18 cm de côté et placez au congélateur pendant 2 h.
Découpez ensuite 6 à 8 parfaits à l'aide d'un emporte-
pièce de 6 cm de diamètre.

3. GARNITURE

Coupez les mirabelles en deux et dénoyautez-les.
Déposez-les sur les parfaits.

4.

Vous pouvez ajouter quelques feuilles de basilic
en décor. Dégustez aussitôt !

SUGGESTION

Pour apporter du croustillant,
servez le parfait sur un lit de biscuits
allégés ou de biscuits granola concassés.

SABLÉ À LA MYRTILLE

GOURMAND

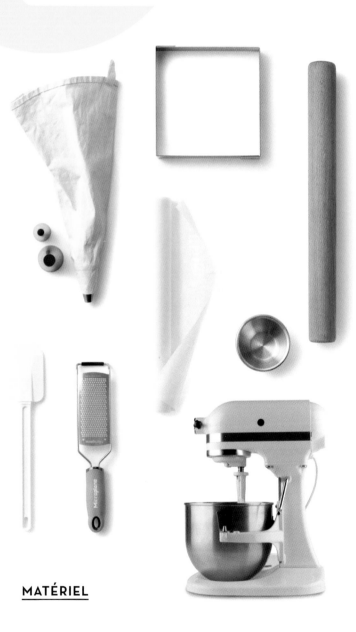

MATÉRIEL

POUR 6 PARTS	
PRÉPARATION 25 MIN	
CONGÉLATION 15 MIN	CUISSON 45 MIN
INGRÉDIENTS	

PÂTE SABLÉE
- 220 g de farine
- 80 g de sucre de canne
- ½ c. à café de levure chimique
- 1 pincée de fleur de sel
- ¼ de c. à café de vanille en poudre
- 2 c. à soupe d'amandes en poudre
- 120 g de beurre froid
- 1 petit œuf

MYRTILLES
- 1 citron jaune
- 15 g de fécule de maïs
- 400 g de myrtilles fraîches
- 120 g de sucre en poudre
- Le zeste de 1 citron vert pour le décor

CHANTILLY
- ½ gousse de vanille
- 400 g de crème liquide entière très froide
- 90 g de sucre glace

120

1. PÂTE SABLÉE

Dans un batteur muni de la feuille, mélangez la farine, le sucre, la levure, la fleur de sel, la vanille et les amandes en poudre.

2.

Ajoutez le beurre coupé en petits dés et mélangez jusqu'à obtenir un mélange sableux. Ajoutez l'œuf et mélangez de nouveau jusqu'à obtenir une boule de pâte homogène.

3.

Réservez un tiers de la pâte et étalez le reste dans le cadre carré de 18 cm de côté, beurré et posé sur du papier sulfurisé. Placez les deux pâtes 15 min au congélateur.

4. MYRTILLES

Zestez le citron jaune et pressez-le. Mélangez la fécule et 4 c. à café de jus de citron. Ajoutez les myrtilles, le sucre, puis les zestes de citron et mélangez. Répartissez le mélange sur la pâte étalée, puis émiettez la pâte réservée sur le dessus. Faites cuire au four 45 min à 170 °C. Laisser refroidir avant de démouler.

5. CHANTILLY

Grattez les graines de la vanille avec un couteau. Mettez tous les ingrédients dans la cuve d'un batteur et fouettez jusqu'à obtenir une crème ferme et onctueuse. Remplissez-en la poche à douille.

6.

Décorez de pointes de chantilly et de zestes râpés de citron vert.

SABLÉ À LA MYRTILLE

LIGHT

POUR 6 PARTS
PRÉPARATION 25 MIN
CONGÉLATION 15 MIN
CUISSON 45 MIN
INGRÉDIENTS

PÂTE SABLÉE
- 210 g de farine
- 50 g de sucre de canne
- ½ c. à café de levure chimique
- 1 pincée de fleur de sel
- ¼ de c. à café de vanille en poudre
- 2 c. à soupe d'amandes en poudre
- 50 g de beurre froid
- 3 c. à soupe rases d'huile de coco
- 1 petit œuf

MYRTILLES
- 1 citron
- 15 g de fécule de maïs
- 480 g de myrtilles fraîches
- 40 g de stévia
- Brins de menthe

CHANTILLY
- ½ gousse de vanille
- 150 g de crème liquide entière très froide
- 15 g de stévia

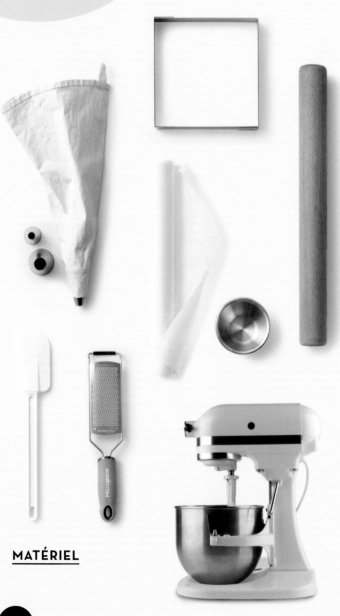

MATÉRIEL

1. PÂTE SABLÉE

Dans un batteur muni de la feuille, mélangez la farine, le sucre, la levure, la fleur de sel, la vanille et les amandes en poudre.

2.

Ajoutez le beurre coupé en petits dés, l'huile de coco fondue et pétrissez jusqu'à obtenir un mélange sableux. Ajoutez l'œuf et pétrissez de nouveau jusqu'à obtenir une boule de pâte homogène. Réservez un tiers de la pâte et étalez le reste dans le cadre carré de 18 cm de côté, beurré et posé sur du papier sulfurisé. Placez les deux pâtes 15 min au congélateur.

3. MYRTILLES

Zestez le citron et pressez-le. Mélangez la fécule et 4 c. à café de jus de citron. Ajoutez 280 g de myrtilles, la stévia ainsi que les zestes de citron et mélangez.

4.

Ajoutez les myrtilles sur la pâte étalée, puis émiettez la pâte réservée sur le dessus. Faites cuire au four 45 min à 180 °C. Laissez refroidir avant de démouler.

5. CHANTILLY

Grattez les graines de la vanille avec un couteau. Mettez tous les ingrédients dans la cuve d'un batteur et fouettez jusqu'à obtenir une crème ferme et onctueuse. Remplissez-en la poche à douille.

6.

Décorez le sablé de quelques pointes de chantilly, de myrtilles restantes et de brins de menthe.

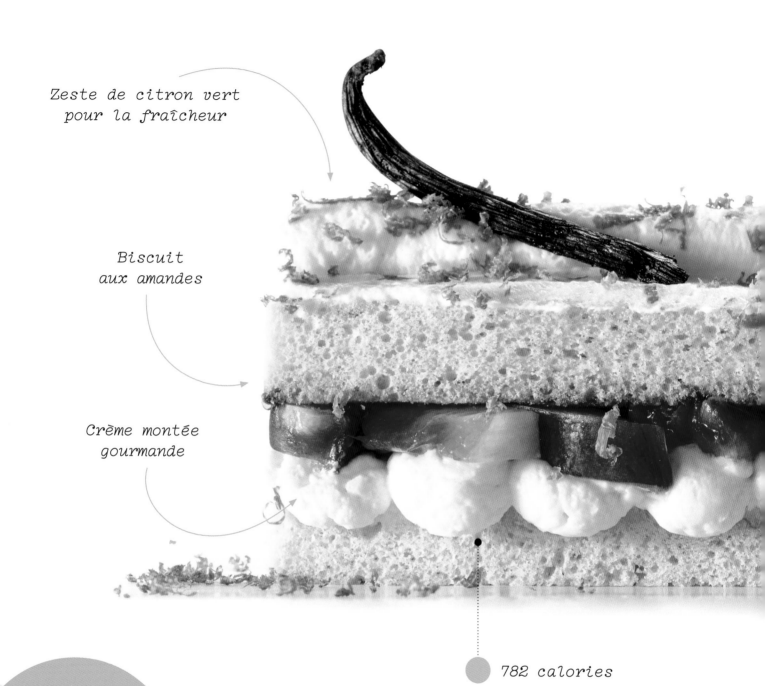

Zeste de citron vert
pour la fraîcheur

Biscuit
aux amandes

Crème montée
gourmande

782 calories

GOURMAND

MIRLITON

Des pêches fraîches

Quelques pistaches
pour le croquant

Sucrée à l'intérieur et douce à l'extérieur avec
son duvet sur la peau, la pêche est un fruit d'été.
Source de fibres, de vitamines et d'antioxydants,
elle est désaltérante et se consomme aussi bien
crue que cuite dans des pâtisseries.

Une touche
de chantilly

Biscuit léger

403 calories

Coulis
de fruits frais

LA PÊCHE LIGHT

MIRLITON À LA PÊCHE

LIGHT

MATÉRIEL

POUR 6 PARTS	
PRÉPARATION 25 MIN	CUISSON 9 MIN
INGRÉDIENTS	

BISCUIT
- 180 g d'amandes en poudre
- 15 g de fécule de maïs ou de poudre à flan
- Le zeste de 1 agrume de votre choix (orange, citron jaune ou vert)
- 1 gousse de vanille
- 100 g de sucre muscovado
- 4 œufs entiers + 5 jaunes
- 20 g de miel

GARNITURE
- 4 pêches

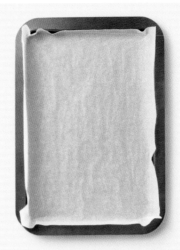

1. <u>BISCUIT</u>

Dans un batteur, versez les amandes en poudre, la fécule, le zeste d'agrume et les graines de vanille. Ajoutez le sucre, les œufs entiers et les jaunes, le miel, puis fouettez jusqu'à obtenir une pâte homogène.

2.

Étalez la pâte sur une plaque recouverte de papier sulfurisé sur 2 cm d'épaisseur. Faites cuire au four 9 min à 180 °C. Laissez refroidir, puis retournez le biscuit et décollez le papier.

3. <u>GARNITURE</u>

Coupez les pêches en deux puis en tranches assez épaisses.

4.

Découpez le biscuit à l'aide de l'emporte-pièce carré de 20 cm de côté, puis détaillez-le en 6 parts. Recouvrez des tranches de pêche et dégustez.

SUGGESTION

Vous pouvez décorer le mirliton de quelques pointes de chantilly et d'éclats de pistaches. Pour plus de gourmandise, accompagnez-le d'un coulis de framboises ou de poires.

RECETTES D'AUTOMNE
—

Crème vanillée
gourmande

Pistaches bien
croquantes

Biscuit moelleux
et gourmand

710 calories

GOURMAND

BISCUIT
MOELLEUX PISTA

Crème de marron
et éclats
de pistaches

Apportant des vitamines, minéraux et fibres, la châtaigne possède une saveur douce unique. Transformée en cuisine, elle prend le nom de marron. La délicieuse crème de marron, à la texture épaisse, s'adapte très bien à la pâtisserie.

Biscuit moelleux
et hyperaérien

289 calories

LIGHT

HE & CHÂTAIGNE

BISCUIT MOELLEUX PISTACHE & CHÂTAIGNE

GOURMAND

MATÉRIEL

POUR 6 PARTS	
PRÉPARATION 30 MIN	CUISSON 40 MIN
INGRÉDIENTS	

BISCUIT
- 150 g de farine
- 140 g de sucre en poudre
- 2 c. à café de levure chimique
- 100 g d'eau
- 10 cl d'huile neutre
- 1 c. à soupe de vinaigre blanc
- ½ gousse de vanille
- 2 c. à soupe de crème de marron
- 2 c. à soupe de pâte de pistache

CHANTILLY
- ½ gousse de vanille
- 400 g de crème liquide entière très froide
- 90 g de sucre glace

GARNITURE
- 80 g de pistaches émondées

1.

BISCUIT

Dans un bol, mélangez la farine, le sucre et la levure.

2.

Dans un autre bol, fouettez l'eau, l'huile, le vinaigre et les graines de la gousse de vanille.

3.

Ajoutez les ingrédients liquides aux ingrédients secs et mélangez avec la crème de marron et la pâte de pistache. Versez la préparation dans le moule à manqué carré de 20 cm de côté, beurré et fariné. Faites cuire au four 40 min à 180 °C.

4.

CHANTILLY

Grattez les graines de la vanille avec un couteau. Mettez tous les ingrédients dans la cuve d'un batteur et fouettez jusqu'à obtenir une crème ferme et onctueuse. Remplissez-en la poche à douille.

5.

Coupez le biscuit en 6 parts. Garnissez-les de pointes de chantilly et décorez de pistaches.

6.

Dégustez !

BISCUIT MOELLEUX PISTACHE & CHÂTAIGNE

LIGHT

MATÉRIEL

POUR 6 PARTS	
PRÉPARATION 25 MIN	CUISSON 40 MIN
INGRÉDIENTS	

BISCUIT

- 120 g de farine de blé complète
- 80 g de sucre muscovado
- 2 c. à café de levure chimique
- 2 c. à café de bicarbonate de soude
- 100 g d'eau
- 2 ½ c. à soupe d'huile neutre
- 1 c. à soupe de vinaigre blanc
- 1 c. à soupe d'extrait de vanille
- 3 c. à soupe de crème de marron
- 2 c. à soupe de pâte de pistache

GARNITURE

- 150 g de crème de marron
- 2 pincées d'éclats de pistaches
- 4 brins de menthe

1. **BISCUIT**

Dans un bol, mélangez la farine, le sucre, la levure et le bicarbonate.

2.

Dans un autre bol, fouettez l'eau, l'huile, le vinaigre et l'extrait de vanille.

3.

Ajoutez les ingrédients liquides aux ingrédients secs et mélangez avec la crème de marron et la pâte de pistache. Versez la préparation dans le moule à manqué carré de 20 cm de côté, beurré et fariné. Faites cuire au four 40 min à 180 °C.

4. **GARNITURE**

Coupez le biscuit en 6 parts. Réalisez des pointes de crème de marron à l'aide de la poche à douille, saupoudrez d'éclats de pistaches et décorez de brins de menthe.

5.

Dégustez !

*Prunes
compotées*

*Crumble pour
le croquant*

*Crème tiramisu
onctueuse*

669 calories

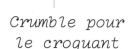

GOURMAND
TIRAMISU

Jaune, rouge ou bien noire, la prune offre un éventail de couleurs ! À déguster de juillet à septembre, voilà encore un fruit plein d'antioxydants et de vitamine C.

Quelques miettes de crumble

Des prunes fraîches

Crème tiramisu légère

481 calories

LIGHT

LA PRUNE

TIRAMISU À LA PRUNE

GOURMAND

MATÉRIEL

POUR 6 PERSONNES	
PRÉPARATION 20 MIN	CUISSON 15 MIN
RÉFRIGÉRATION 1 H	
INGRÉDIENTS	

CRUMBLE
- 80 g de beurre demi-sel
- 80 g de farine
- 80 g de sucre en poudre
- 80 g d'amandes en poudre

COMPOTÉE DE PRUNES
- 350 g de prunes dénoyautées

CRÈME TIRAMISU
- 3 œufs
- 100 g de sucre en poudre
- 250 g de mascarpone très froid

1. CRUMBLE

Mélangez les ingrédients du crumble pour obtenir une préparation sablée. Étalez le crumble sur une plaque recouverte de papier sulfurisé. Faites cuire au four 6 min à 180 °C. À l'aide de la spatule métallique, retournez le crumble sur la plaque en le concassant, tournez la plaque et remettez-la au four pour 6 min. Laissez refroidir.

2. COMPOTÉE DE PRUNES

Dans une casserole avec un fond d'eau, faites compoter les prunes coupées en petits dés 15 min à feu moyen. Laissez refroidir.

3. CRÈME TIRAMISU

Cassez les œufs en séparant les blancs des jaunes. Battez délicatement le sucre, les jaunes et le mascarpone. Montez les blancs en neige et incorporez-les à la préparation.

4.

Placez la crème au frais pendant 1 h.

5.

Montez le dessert en commençant par la crème, ajoutez le crumble, puis les prunes. Dégustez bien frais.

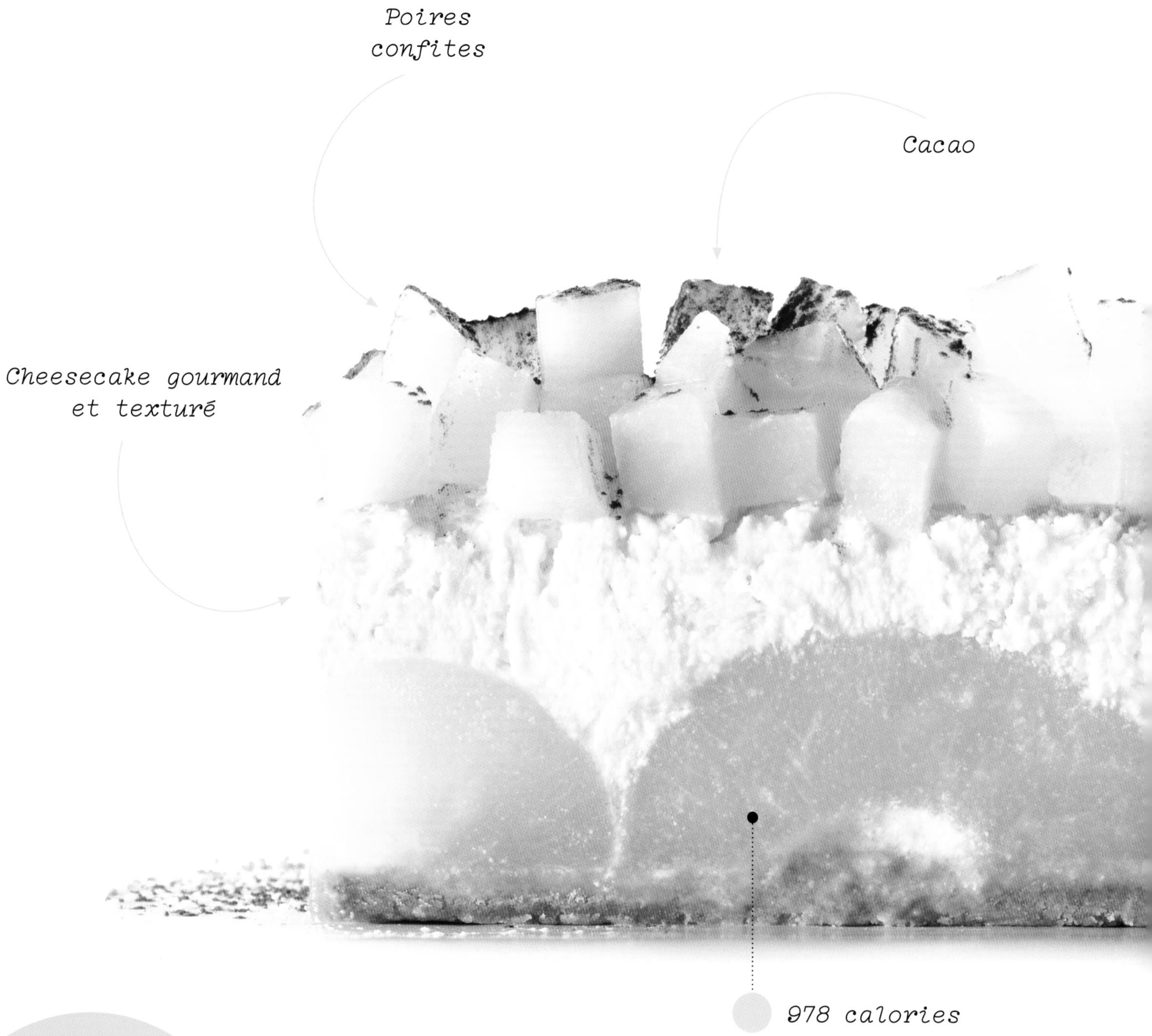

Poires
confites

Cacao

Cheesecake gourmand
et texturé

978 calories

GOURMAND
CHEESECAK

S'adaptant autant aux plats salés que sucrés, la poire reste un fruit classique incontournable. Sa chair est riche en fibres et sa peau en antioxydants. Grâce à ses nombreuses variétés, elle se consomme tout au long de l'année !

Fines tranches
de poire crue

Cheesecake léger
et aérien

251 calories

Poires confites

LIGHT

À LA POIRE

CHEESECAKE À LA POIRE

LIGHT

POUR 6 PARTS	
PRÉPARATION 25 MIN	CUISSON 5 MIN
RÉFRIGÉRATION 30-45 MIN	
INGRÉDIENTS	

POIRES AU SIROP LÉGER
- 2 poires (ni trop mûres ni trop fermes)
- 80 g de miel
- 400 g d'eau
- 1 gousse de vanille

SABLÉ
- 300 g de sablés diététiques
- 2 c. à soupe d'huile de coco

CHEESECAKE
- 3 blancs d'œufs
- 1 c. à soupe de stévia
- 70 g de chocolat blanc
- 200 g de faisselle
- 100 g de fromage frais allégé type St Môret®

GARNITURE
- 3 poires
- Le jus de 1 citron

MATÉRIEL

1. POIRES AU SIROP LÉGER

Épluchez les poires, coupez-les en deux et épépinez-les. Préparez un sirop avec le miel, l'eau et la gousse de vanille fendue. Dès que le sirop bout, faites pocher les poires pendant 5 ou 6 min. Égouttez les poires à l'aide de l'écumoire et laissez-les refroidir.

2. SABLÉ

Concassez finement les sablés ou mixez-les, puis mélangez-les avec l'huile de coco fondue. Tassez le sablé à l'aide d'une cuillère dans le cadre carré de 18 cm de côté posé sur du papier sulfurisé. Placez au frais.

3. CHEESECAKE

Montez les blancs d'œufs en neige et ajoutez la stévia en fouettant. Faites fondre le chocolat. Incorporez-le délicatement aux blancs en neige. Fouettez la faisselle et le fromage frais, puis ajoutez-les.

4. GARNITURE

Disposez les demi-poires au sirop sur le fond de pâte et recouvrez du cheesecake. Mettez au frais pendant 30 à 45 min.

5.

À l'aide de la mandoline, coupez les poires fraîches en très fines tranches et citronnez-les. Enroulez-les et décorez-en le gâteau au moment de servir.

6.

Dégustez bien frais.

GÂTEAU À LA POMME

GOURMAND

MATÉRIEL

POUR 6 PARTS
PRÉPARATION 30 MIN
CUISSON 18-25 MIN
INGRÉDIENTS

BISCUIT AU CITRON
- 3 œufs
- 175 g de sucre en poudre
- Le zeste de 1 citron râpé
  + un peu pour le décor
- 90 g de crème fraîche épaisse
- 1 pincée de sel
- 140 g de farine
- 3 g de levure chimique
- 50 g de beurre
- 4 c à café de rhum

CHANTILLY
- ½ gousse de vanille
- 250 g de crème liquide entière très froide
- 60 g de sucre glace

POMMES CARAMÉLISÉES
- 3 pommes Pink Lady
- 120 g de sucre en poudre
- 2 c. à soupe d'eau

1. BISCUIT AU CITRON

Dans le batteur, mélangez les œufs, le sucre, le zeste, la crème, le sel, la farine et la levure.

2.

Incorporez le beurre fondu et le rhum. Versez la pâte dans un moule à manqué carré de 20 cm de côté, beurré et fariné. Faites cuire au four 15 à 20 min à 180 °C. Laissez refroidir le biscuit, puis démoulez-le.

3. CHANTILLY

Grattez les graines de la vanille avec un couteau. Mettez tous les ingrédients dans la cuve du batteur et fouettez jusqu'à obtenir une crème ferme et onctueuse. Remplissez-en la poche à douille (n° 8).

4. POMMES CARAMÉLISÉES

Coupez chaque pomme en 8 à 10 quartiers. Dans une poêle, réalisez un caramel bien blond avec le sucre et l'eau. Ajoutez les pommes et faites-les cuire 3 à 5 min à feu vif en les retournant plusieurs fois. Laissez refroidir.

5.

Coupez le biscuit en 6 parts et garnissez-les de chantilly. Ajoutez les pommes caramélisées et parsemez de zeste de citron râpé.

6.

Dégustez aussitôt !

GÂTEAU À LA POMME

LIGHT

MATÉRIEL

POUR 6 PARTS
PRÉPARATION 30 MIN
CUISSON 15 À 20 MIN
INGRÉDIENTS

- 4 pommes Pink Lady

BISCUIT AU CITRON
- 3 œufs
- 40 g de stévia
- 1 citron
- 1 yaourt allégé
- 1 pincée de sel
- 70 g de fécule de pomme de terre
- 70 g de fécule de maïs
- 3 g de levure chimique
- 2 c. à soupe rases d'huile de coco
- 4 c. à café de rhum
- Le zeste de 1 citron vert pour le décor

CHANTILLY
- ½ gousse de vanille
- 150 g de crème liquide entière très froide
- 15 g de stévia

1. BISCUIT AU CITRON

Dans le batteur, mélangez à petite vitesse les œufs, la stévia, le zeste de citron, le yaourt, le sel, les fécules et la levure.

2.

Incorporez l'huile de coco fondue et le rhum. Versez la pâte dans un moule à manqué carré de 20 cm de côté, beurré et fariné. Faites cuire au four 15 à 20 min à 180 °C. Laissez refroidir le biscuit, puis démoulez-le.

3. CHANTILLY

Grattez les graines de la vanille avec un couteau. Mettez tous les ingrédients dans la cuve d'un batteur et fouettez jusqu'à obtenir une crème ferme et onctueuse.

4.

Coupez le biscuit en 6 parts. À l'aide de la spatule métallique, étalez dessus une fine couche de chantilly. Coupez les pommes en julienne, en dés ou en fines lamelles et citronnez-les. Déposez-les sur la chantilly. Décorez de zeste râpé de citron vert.

5.

Dégustez aussitôt.

Croustillant
au chocolat
pour le fun

Biscuit
aux noisettes

Mousse
au chocolat
onctueuse

596 calories

GOURMAND

LE NO

Entrant dans la catégorie des fruits à écale, la noisette est riche en antioxydants et en fibres. Elle se déguste concassée, salée, ou bien sucrée, mais aussi cuite et transformée en purée. Pour en profiter au mieux, consommez-la entre le mois d'octobre et le mois de février !

Noisettes torréfiées pour le croquant

Dentelle de crêpes

467 calories

Biscuit léger et aérien

LIGHT

SETIER

LE NOISETIER

LIGHT

MATÉRIEL

POUR 6 PARTS	
PRÉPARATION 30 MIN	CUISSON 20 MIN
INGRÉDIENTS	

BISCUIT AUX NOISETTES
- 20 g de farine de sarrasin
- 30 g de stévia
- 80 g de noisettes en poudre
- 6 blancs d'œufs

MOUSSE AU CHOCOLAT
- 150 g de chocolat noir
- 4 œufs

DENTELLE DE CRÊPES
- 60 g de chocolat praliné
- 80 g de crêpes dentelle

1. BISCUIT AUX NOISETTES

Dans un récipient, mélangez la farine, la stévia et les noisettes en poudre. Montez les blancs d'œufs en neige, puis incorporez-les délicatement. Versez la pâte sur la plaque recouverte de papier sulfurisé et étalez-la à la spatule sur 2 cm d'épaisseur. Faites cuire au four environ 20 min à 180 °C.

2. MOUSSE AU CHOCOLAT

Faites fondre le chocolat au bain-marie. Séparez les jaunes des blancs d'œufs. Mélangez le chocolat fondu avec les jaunes. Montez les blancs en neige et incorporez-les délicatement au chocolat. Remplissez la poche à douille de mousse.

3. DENTELLE DE CRÊPES

Faites fondre le chocolat praliné au bain-marie. Mixez les crêpes dentelles émiettées avec le chocolat fondu.

4.

Découpez le biscuit à l'aide de l'emporte-pièce carré de 18 cm de côté, puis détaillez-le en 6 parts. Étalez la mousse au chocolat à l'aide de la poche à douille, puis recouvrez de dentelle de crêpes au chocolat.

SUGGESTION

Vous pouvez décorer les parts avec des éclats de noisettes.

restes
de citron

pommes caramélisées

pointe de
chantilly

biscuit au citron

Crème glacée pour accompagner

478 calories

GOURMAND

CLAFOUTIS

Noir ou blanc, de table ou en jus, le raisin arrive sur les étals au moment des vendanges autour du mois de septembre. Sucré, donc énergisant, il est juteux, riche en saveurs et contient aussi des antioxydants et de la vitamine B.

282 calories

LIGHT

AU RAISIN

CLAFOUTIS AU RAISIN

GOURMAND

MATÉRIEL

POUR 6 PARTS	
PRÉPARATION 15 MIN	CUISSON 45 MIN
INGRÉDIENTS	

- 400 g de raisin noir ou blanc
- 50 g de beurre froid
- 150 g de sucre en poudre
- 4 œufs
- 290 g de crème liquide
- 150 g de farine
- 1 pincée de cannelle
- 1 pincée de sel

1.

Rincez le raisin, puis égouttez-le et égrainez-le. Dans un récipient, mélangez le beurre avec le sucre et les œufs battus sauf 2 blancs. La préparation doit être homogène.

2.

Ajoutez la crème, la farine, la cannelle et le sel. Montez en neige les 2 blancs réservés et incorporez-les délicatement à la pâte. Versez la pâte dans le moule à manqué carré de 20 cm de côté, beurré et fariné, puis rangez-y les grains de raisin. Faites cuire au four 45 min à 160 °C. Dégustez froid.

PETIT CONSEIL

Habituellement, on sert le clafoutis froid, mais moi, je l'aime bien quand il est encore chaud.

CLAFOUTIS AU RAISIN

LIGHT

MATÉRIEL

POUR 6 PARTS	
PRÉPARATION 15 MIN	CUISSON 45 MIN
INGRÉDIENTS	

- 400 g de raisin noir ou blanc
- 1 c. à soupe rase d'huile de coco
- 4 c. à soupe de sirop d'agave
- 4 œufs
- 290 g de crème liquide allégée
- 70 g de farine de blé
- 60 g de farine de sarrasin
- 1 pincée de cannelle
- 1 pincée de sel

1.

Rincez le raisin, puis égouttez-le et égrainez-le. Dans un récipient, mélangez l'huile de coco fondue avec le sirop d'agave et les œufs battus sauf 2 blancs. La préparation doit être homogène.

2.

Ajoutez la crème, les farines, la cannelle et le sel. Montez en neige les 2 blancs réservés et incorporez-les délicatement à la pâte. Versez la pâte dans le moule à manqué carré de 20 cm de côté, beurré et fariné, puis rangez-y les grains de raisin. Faites cuire au four 45 min à 160 °C. Dégustez froid.

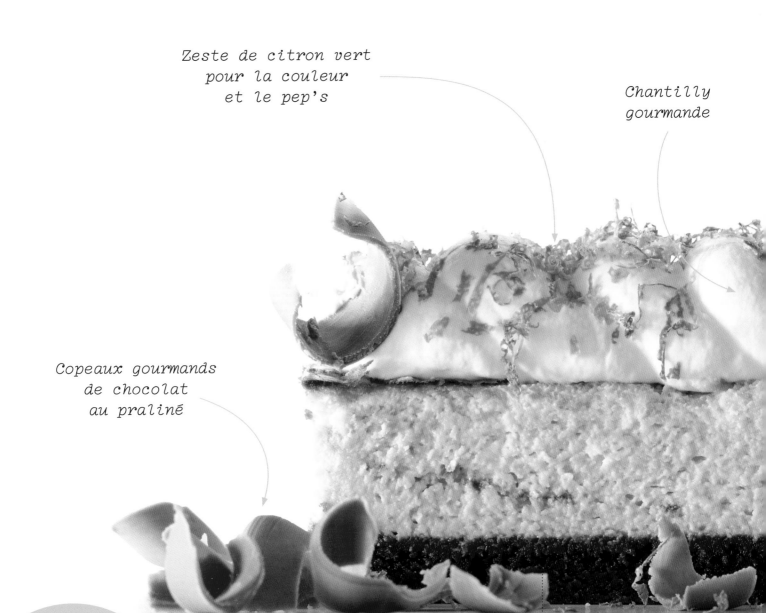

*Zeste de citron vert
pour la couleur
et le pep's*

*Chantilly
gourmande*

*Copeaux gourmands
de chocolat
au praliné*

927 calories

GOURMAND

CHEESECAKE
AVOCAT & C

Avocat frais citronné

Source de bonnes graisses qui protègent le système cardio-vasculaire, l'avocat est aussi riche en vitamines, fibres et caroténoïdes ce qui en fait un aliment santé par excellence. Sa chair onctueuse convient aussi bien pour des recettes salées que sucrées.

Cheesecake léger

Fond chocolaté

509 calories

LIGHT

TRON VERT

CHEESECAKE AVOCAT & CITRON VERT

GOURMAND

POUR 6 PARTS	
PRÉPARATION 40 MIN	
CUISSON 50 MIN	REPOS 1 H
INGRÉDIENTS	

PÂTE CHOCOLATÉE AUX BISCUITS
- 160 g de biscuits au chocolat
- 50 g de beurre

CHEESECAKE
- 4 citrons verts
- 150 g de sucre en poudre
- 1 c. à café de fécule de maïs
- 2 avocats mûrs
- 400 g de fromage frais type Philadelphia®
- 100 g de mascarpone
- 3 œufs

CHANTILLY
- ½ gousse de vanille
- 400 g de crème liquide entière très froide
- 90 g de sucre glace

FINITION
- 1 citron vert

1. PÂTE CHOCOLATÉE AUX BISCUITS

Concassez finement les biscuits ou mixez-les, puis mélangez-les avec le beurre fondu pour obtenir une pâte homogène. Tassez-la à l'aide d'une cuillère dans le cadre carré de 20 cm de côté, beurré, posé sur une plaque recouverte de papier sulfurisé. Faites cuire au four 10 à 12 min à 150 °C.

2. CHEESECAKE

Zestez les citrons verts et pressez les fruits. Versez le tout dans une casserole et mélangez avec 80 g de sucre et la fécule. Faites chauffer à feu doux jusqu'à épaississement. Laissez refroidir.

3.

Prélevez la chair des avocats et mixez-la. Mélangez la purée d'avocat avec le fromage frais, le mascarpone et le reste de sucre. Ajoutez les œufs un par un, puis le jus de citron vert épaissi. Versez la préparation sur le fond de pâte et lissez la surface avec la spatule. Faites cuire au four 40 min à 150 °C.

4.

À la fin de la cuisson, éteignez le four et laissez refroidir le cheesecake 1 h dans le four.

5. CHANTILLY

Grattez les graines de la vanille avec un couteau. Mettez tous les ingrédients dans la cuve d'un batteur et fouettez jusqu'à obtenir une crème ferme et onctueuse. Remplissez-en la poche à douille.

6.

Coupez le cheesecake en 6 parts. Garnissez de chantilly et parsemez de zestes râpés de citron vert. Vous pouvez décorer les gâteaux avec des copeaux de chocolat au lait réalisés à l'Économe.

CHEESECAKE AVOCAT & CITRON VERT

LIGHT

MATÉRIEL

POUR 6 PARTS	
PRÉPARATION 40 MIN	
CUISSON 50 MIN	REPOS 1 H
INGRÉDIENTS	

PÂTE CHOCOLATÉE AUX BISCUITS
- 160 g de biscuits au chocolat diététiques
- 2 c. à soupe d'huile de coco

CHEESECAKE
- 4 citrons verts
- 40 g de stévia
- 1 c. à café de fécule de maïs
- 2 avocats mûrs
- 400 g de faisselle
- 50 g de mascarpone
- 3 œufs

GARNITURE
- 2 avocats mûrs
- 1 citron

1. PÂTE CHOCOLATÉE AUX BISCUITS

Concassez finement les sablés ou mixez-les, puis mélangez-les avec l'huile de coco fondue pour obtenir une pâte homogène. Tassez-la à l'aide d'une cuillère dans le cadre carré de 20 cm de côté, beurré, posé sur une plaque recouverte de papier sulfurisé. Faites cuire au four 10 à 12 min à 150 °C.

2. CHEESECAKE

Zestez les citrons verts et pressez les fruits. Versez le tout dans une casserole et mélangez avec la stévia et la fécule. Faites chauffer à feu doux jusqu'à épaississement. Laissez refroidir.

3.

Récupérez la chair des avocats et mixez-la. Mélangez la purée d'avocat avec la faisselle et le mascarpone. Ajoutez les œufs un par un, puis le jus de citron vert épaissi. Versez la préparation sur le fond de pâte et lissez bien la surface avec la spatule. Faites cuire au four 40 min à 150 °C. À la fin de la cuisson, éteignez le four et laissez refroidir le cheesecake 1 h dans le four.

4. GARNITURE

Détaillez les avocats en petits dés et mélangez-les à du jus de citron pour les empêcher de noircir.

5.

Coupez le cheesecake en 6 parts. Décorez de dés d'avocat. Servez bien frais.

Un topping gourmand

Une texture moelleuse

320 calories

GOURMAND

CAKE À LA C

Petite baie rouge originaire d'Amérique du Nord,
la canneberge a un goût sucré et acidulé,
et contient une forte quantité d'antioxydants.
Elle se déguste en jus, fraîche ou bien séchée.

*Un cake hyperaérien
et plein de fruits*

155 calories

LIGHT

ANNEBERGE

CAKE À LA CANNEBERGE

GOURMAND

MATÉRIEL

POUR 6 PERSONNES	
PRÉPARATION 15 MIN	CUISSON 18-20 MIN
INGRÉDIENTS	

- 2 bananes • 150 g de sucre muscovado
- 2 œufs • 100 g de farine de maïs complète
- 100 g de farine de blé
- 1 sachet de levure chimique
- 90 g d'huile neutre • 40 g de canneberges séchées + pour le décor

GLAÇAGE
- 200 g de fromage frais type Philadelphia®
- 40 g de sucre glace • Le zeste de 1 citron jaune • Le zeste de 1 citron vert

1.

Mixez les bananes. Dans un récipient, mélangez-les avec le sucre et les œufs. Incorporez la farine de maïs, la farine de blé et la levure.

2.

Incorporez l'huile et les canneberges au mélange. La pâte sera un peu épaisse. Versez-la dans le moule à cake de 21 cm de long, beurré et fariné, et faites cuire au four 18 à 22 min à 170 °C.

3. GLAÇAGE

Dans un récipient, mélangez au fouet le fromage frais, le sucre glace et les zestes des citrons. Étalez le glaçage sur le dessus du cake.

CAKE À LA CANNEBERGE

LIGHT

MATÉRIEL

POUR 6 PARTS
PRÉPARATION 15 MIN
CUISSON 18-20 MIN
INGRÉDIENTS
• 2 bananes • 4 c. à soupe de sirop d'agave • 2 œufs • 100 g de farine de blé complète • 70 g de farine de sarrasin • 40 g d'huile de coco • 1 sachet de levure chimique • 50 g de canneberges séchées

1.

Mixez les bananes. Dans un récipient, mélangez-les avec le sirop d'agave et les œufs. Incorporez la farine de blé, la farine de sarrasin et la levure.

2.

Incorporez l'huile de coco fondue et les canneberges au mélange. La pâte sera un peu épaisse. Versez-la dans le moule à cake de 21 cm de long, beurré et fariné, et faites cuire au four 18 à 22 min à 170 °C.

3.

Voilà un cake qui sera aussi délicieux au goûter qu'au petit déjeuner !

RECETTES D'HIVER

Éclats de pistaches
pour la jolie couleur

Chantilly gourmande

Sorbet
à la clémentine

Meringue
croquante

598 calories

GOURMAND

VACHERIN À L

Zeste de citron vert

Née du croisement entre une mandarine et une orange, la clémentine est LE fruit incontournable de l'hiver. Riche en vitamines et antioxydants, elle est le rayon de soleil de nos journées sous la neige !

Clémentines bien juteuses

Éclats de meringue

342 calories

LIGHT

CLÉMENTINE

VACHERIN À LA CLÉMENTINE

GOURMAND

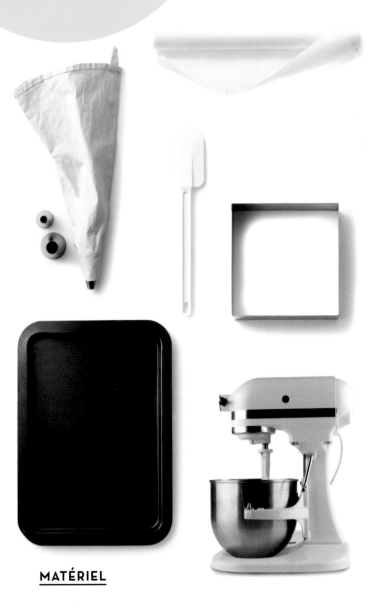

MATÉRIEL

POUR 6 PARTS	
PRÉPARATION 30 MIN	CUISSON 1 H 15

INGRÉDIENTS

- 1 l de sorbet à la clémentine
- 2 pincées d'éclats de pistaches

MERINGUE
- 3 blancs d'œufs
- 200 g de sucre en poudre

CHANTILLY
- ½ gousse de vanille
- 400 g de crème liquide entière très froide
- 90 g de sucre glace

1.

Faites ramollir le sorbet 10 min à température
ambiante, puis remplissez-en le cadre carré
de 18 cm de côté posé sur un plateau et lissez.
Mettez au congélateur le temps de préparer la suite.

2. MERINGUE

Montez les blancs en neige avec 50 g de sucre, puis
ajoutez progressivement le reste du sucre jusqu'à
obtenir une meringue bien blanche et ferme.

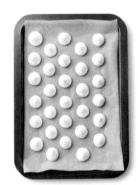

3.

Remplissez-en la poche à douille et dressez
des petites meringues sur une plaque recouverte
de papier sulfurisé. Faites cuire au four environ
1 h 15 à 90 °C.

4. CHANTILLY

Grattez les graines de la vanille avec un couteau.
Mettez tous les ingrédients dans la cuve d'un batteur
et fouettez jusqu'à obtenir une crème ferme et
onctueuse. Remplissez-en la poche à douille.

5.

Au moment de servir, démoulez délicatement
le sorbet. Déposez une pointe de chantilly sur
les meringues et collez-les sur les côtés du sorbet.
Garnissez de chantilly à l'aide de la poche à douille.
Vous pouvez servir le vacherin parsemé d'éclats
de pistaches.

VACHERIN À LA CLÉMENTINE

LIGHT

POUR 6 PARTS	
PRÉPARATION 30 MIN	CUISSON 2 H
INGRÉDIENTS	

- 1 l de sorbet à la clémentine

MERINGUE
- 3 blancs d'œufs
- 60 g de sucre en poudre

CHANTILLY
- ½ gousse de vanille
- 150 g de crème liquide entière très froide
- 15 g de stévia

GARNITURE
- 3 clémentines

MATÉRIEL

☞ **FAITES VOUS-MÊME LE SORBET À LA CLÉMENTINE**

Pressez des clémentines et filtrez le jus au chinois pour en obtenir 40 cl. Ajoutez le jus de ½ citron, quelques gouttes de Grand Marnier®, 55 g de sucre et mélangez jusqu'à dissolution complète du sucre. Montez 1 blanc d'œuf en neige et incorporez-le. Turbinez la préparation dans une sorbetière.

—

1.

Faites ramollir le sorbet 10 min à température ambiante, puis remplissez-en le cadre carré de 18 cm de côté posé sur un plateau et lissez à l'aide de la spatule. Mettez au congélateur le temps de préparer la suite.

2. MERINGUE

Montez les blancs en neige avec le sucre jusqu'à obtenir une meringue bien blanche et ferme. Étalez la meringue sur une plaque recouverte de papier sulfurisé sur 1 à 1,5 cm d'épaisseur et faites cuire au four environ 1 h 15 à 90 °C.

3. CHANTILLY

Grattez les graines de la vanille avec un couteau. Mettez tous les ingrédients dans la cuve d'un batteur et fouettez jusqu'à obtenir une crème ferme et onctueuse. Remplissez-en la poche à douille.

4. GARNITURE

Épluchez les clémentines. Au moment de servir, démoulez délicatement le sorbet. Disposez dessus des suprêmes de clémentine. Garnissez de chantilly et de meringue concassée.

5.

Dégustez aussitôt !

Crème citronnée

Zeste de citron vert
pour la fraîcheur

Gâteau moelleux imbibé

GOURMAND

692 calories

GÂTEAU MOELLE

*Grains de grenade
bien frais*

Avec ses grains semblables à des petits rubis,
la grenade est célèbre pour son goût subtil
et son apport en antioxydants. Elle rehaussera
la couleur de vos plats sucrés comme salés
avec des notes de rouge !

*Mousse légère
vanillée*

418 calories

LIGHT

X À LA GRENADE

GÂTEAU MOELLEUX À LA GRENADE

GOURMAND

MATÉRIEL

POUR 6 PARTS
PRÉPARATION 30 MIN
CUISSON 25-30 MIN
INGRÉDIENTS

BISCUIT
- 1 grenade
- 3 œufs
- 160 g de sucre en poudre
- 3 c. à soupe de lait
- 70 g de beurre
- 120 g de farine
- 1 sachet de levure chimique

SIROP À LA GRENADE
- 1 grenade
- 200 g d'eau
- 300 g de sucre en poudre
- ½ gousse de vanille

CRÈME CITRONNÉE
- 1 citron vert
- 220 g de fromage frais type Philadelphia®
- 40 g de sucre glace

1. BISCUIT

Coupez la grenade en deux et pressez-la à l'aide d'un presse-purée ou d'une centrifugeuse. Filtrez le jus.

2.

Cassez les œufs en séparant les blancs des jaunes. Faites blanchir les jaunes d'œufs et le sucre dans un récipient. Ajoutez le lait chaud, le beurre fondu, la farine et la levure.

3.

Montez les blancs en neige bien ferme au batteur. Versez le jus de grenade dans la pâte, mélangez, puis incorporez délicatement les blancs en neige à l'aide de la spatule. Versez la pâte dans le moule à manqué carré de 20 cm de côté, beurré et fariné. Faites cuire au four 25-30 min à 175 °C. Démoulez aussitôt.

4. SIROP À LA GRENADE

Pendant ce temps, coupez la grenade en deux, pressez-la et filtrez le jus. Faites chauffer l'eau avec le sucre et le jus de grenade ainsi que la vanille fendue 1 min à feu vif, puis ramenez à feu doux pendant 10 min. Laissez refroidir, puis versez le sirop tiède sur le gâteau posé sur une grille.

5. CRÈME CITRONNÉE

Prélevez le zeste du citron vert pour le décor et pressez le fruit. Fouettez vivement tous les ingrédients.

6.

Lorsque le gâteau est refroidi, étalez la crème citronnée sur le dessus à l'aide de la spatule. Décorez de zestes râpés.

Un bâton de vanille
pour le décor

La gourmandise
du crémeux

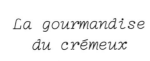

GOURMAND

943 calories

CRÉMEUX
AUX FRUITS D

Aussi appelé grenadille ou maracuja, le fruit de la Passion possède une coque sombre et une pulpe jaune vif. Sa saveur exotique et son parfum très rafraîchissant font merveille dans les crèmes, mousses et sorbets.

Pulpe du fruit de la Passion bien fraîche

Un crémeux frais et léger

Un sablé léger

465 calories

LIGHT

E LA PASSION

CRÉMEUX AUX FRUITS DE LA PASSION

GOURMAND

POUR 6 PARTS	
PRÉPARATION 30 MIN	CUISSON 5 MIN
RÉFRIGÉRATION 2 H	
INGRÉDIENTS	

SABLÉ
- 300 g de sablés bretons
- 75 g de beurre

CRÉMEUX
- 4 feuilles de gélatine
- 580 g de crème liquide
- 80 g de jus de fruits de la Passion
- 80 g de sucre en poudre
- 1 gousse de vanille

CHANTILLY
- ½ gousse de vanille
- 400 g de crème liquide entière très froide
- 90 g de sucre glace

MATÉRIEL

1. SABLÉ

Mixez les sablés avec le beurre fondu. Tassez le sablé à l'aide d'une cuillère dans le cadre carré de 20 cm de côté posé sur un plat. Placez au frais.

2. CRÉMEUX

Réhydratez la gélatine dans un bol d'eau froide. Faites bouillir la crème et le jus de fruits de la Passion avec le sucre et la gousse de vanille fendue à feu doux pendant quelques minutes. Laissez refroidir un peu, puis retirez la vanille et incorporez la gélatine égouttée.

3.

Étalez le crémeux sur le sablé et lissez. Laissez refroidir, puis placez 2 h au frais.

4. CHANTILLY

Grattez les graines de la vanille avec un couteau. Mettez tous les ingrédients dans la cuve d'un batteur et fouettez jusqu'à obtenir une crème ferme et onctueuse. Remplissez-en la poche à douille.

5.

Coupez le crémeux en 6 parts. Garnissez-les de chantilly, puis décorez comme bon vous semble.

CRÉMEUX AUX FRUITS DE LA PASSION

LIGHT

POUR 6 PARTS	
PRÉPARATION 25 MIN	CUISSON 5-10 MIN
RÉFRIGÉRATION 4 H	
INGRÉDIENTS	

SABLÉ
- 300 g de sablés diététiques
- 2 c. à soupe rases d'huile de coco

CRÉMEUX
- 580 g de crème liquide allégée
- 2 c. à soupe de mascarpone
- 6 g d'agar-agar
- 1 c. à soupe de stévia
- 1 gousse de vanille

SIROP PASSION
- 1 c. à café de fécule de maïs
- 10 cl de jus de fruits de la Passion

GARNITURE
- 2 fruits de la Passion

MATÉRIEL

1.  SABLÉ

Mixez les sablés avec l'huile de coco fondue. Tassez le sablé à l'aide d'une cuillère dans le cadre carré de 20 cm de côté posé sur un plat. Placez au frais.

2.  CRÉMEUX

Faites bouillir la crème et le mascarpone avec l'agar-agar, la stévia et la gousse de vanille fendue à feu doux quelques minutes. Laissez refroidir, puis retirez la vanille.

3.

Étalez le crémeux sur le sablé et lissez. Laissez refroidir, puis placez 2 h au frais.

4.  SIROP PASSION

Diluez la fécule dans un peu d'eau. Faites chauffer le jus de fruits de la Passion, ajoutez la fécule et laissez épaissir un peu. Répartissez le sirop passion sur le crémeux et remettez au frais encore 2 h.

5.  GARNITURE

Coupez les fruits de la Passion en deux, prélevez la pulpe et étalez-la sur le dessus du gâteau à l'aide de la spatule en métal.

6.

Dégustez frais.

*Meringue
pour le croquant*

*Lemon curd
gourmand*

Le bon sablé

929 calories

GOURMAND

TARTE A

*Quelques suprêmes
de citron vert*

Présent dans de nombreuses recettes, le citron
est un fruit très apprécié pour son acidité
et son apport en vitamine C. Utilisé pour
assaisonner des plats ou bien pour
la conservation de la couleur des aliments,
il saura stimuler vos papilles !

Lemon curd allégé

Sablé allégé

412 calories

LIGHT

CITRON

TARTE AU CITRON

GOURMAND

MATÉRIEL

POUR 6 PARTS	
PRÉPARATION 45 MIN	CUISSON 5 MIN
RÉFRIGÉRATION 7 H	
INGRÉDIENTS	

SABLÉ
- 300 g de sablés bretons
- 75 g de beurre

LEMON CURD
- 20 cl de jus de citron
- Le zeste de 2 citrons
- 4 œufs
- 200 g de sucre en poudre
- 3 g d'agar-agar
- 250 g de beurre en pommade

CHANTILLY AU CITRON
- 400 g de crème liquide entière très froide
- 160 g de sucre glace
- Le zeste de 2 citrons

GARNITURE
- 60 g de meringue du commerce

1. SABLÉ

Concassez finement les sablés ou mixez-les, puis mélangez-les avec le beurre fondu. Tassez le sablé à l'aide d'une cuillère dans le cadre carré de 18 cm de côté posé sur un plat. Placez au frais.

2. LEMON CURD

Dans une casserole, mettez le jus de citron et le zeste. Faites blanchir les œufs avec la moitié du sucre. Mélangez le reste du sucre avec l'agar-agar, puis incorporez au fouet le mélange au jus de citron. Portez à ébullition à feu vif en fouettant. Versez ensuite petit à petit le jus bouillant sur les œufs tout en fouettant.

3.

Remettez dans la casserole et faites cuire, sans cesser de fouetter, jusqu'au premier bouillon. Retirez du feu, transférez dans un contenant à bord élevé, puis ajoutez le beurre. Émulsionnez bien au mixeur. Versez le lemon curd sur le sablé, lissez et placez le cadre au moins 6 h au frais.

4. CHANTILLY AU CITRON

Mettez tous les ingrédients dans la cuve d'un batteur et fouettez jusqu'à obtenir une crème ferme et onctueuse.

5. GARNITURE

Étalez la chantilly au citron sur le lemon curd et placez la tarte 1 h au frais. Retirez le cadre, décorez d'éclats de meringue.

6.

Dégustez aussitôt !

TARTE AU CITRON

LIGHT

MATÉRIEL

POUR 6 PARTS	
PRÉPARATION 40 MIN	CUISSON 5 MIN
RÉFRIGÉRATION 45 MIN	

INGRÉDIENTS

SABLÉ
- 300 g de sablés diététiques
- 1 c. à soupe rase d'huile de coco

LEMON CURD
- 20 cl de jus de citron
- Le zeste de 2 citrons
- 4 œufs
- 40 g de sucre de canne
- 2 c. à soupe de miel
- 3 g d'agar-agar
- 50 g de beurre en pommade

GARNITURE
- 2 citrons verts
- 30 g de petites meringues

1. SABLÉ

Concassez finement les sablés ou mixez-les, puis mélangez-les avec l'huile de coco fondue. Tassez le sablé à l'aide d'une cuillère dans le cadre carré de 18 cm de côté posé sur un plat. Placez au frais.

2. LEMON CURD

Dans une casserole, mettez le jus de citron et le zeste. Faites blanchir les œufs avec la moitié du sucre et le miel. Mélangez le reste de sucre avec l'agar-agar, puis incorporez au fouet le mélange au jus de citron. Portez à ébullition à feu vif en fouettant. Versez ensuite petit à petit le jus bouillant sur les œufs tout en fouettant.

3.

Remettez dans la casserole et faites cuire, sans cesser de fouetter, jusqu'au premier bouillon. Retirez du feu, transférez dans un contenant à bord élevé, puis ajoutez le beurre. Émulsionnez bien au mixeur. Placez le lemon curd 45 min au frais.

4. GARNITURE

Mettez le lemond curd dans la poche à douille et réalisez des pointes sur le sablé. Retirez le cadre. Zestez les citrons verts et prélevez les suprêmes. Décorez-en la tarte, puis ajoutez quelques éclats de meringue.

5.

Dégustez aussitôt !

Meringue
croquante

Dés de kiwis

Mousse
vanillée

292 calories

GOURMAND
ETON MES

Apprécié pour sa pulpe et son acidité, le kiwi se déguste de novembre à mai. Avec sa richesse en vitamines, il sera votre allié pour les journées froides de l'hiver et le printemps !

Éclats de biscuits roses

Plus de fruits !

185 calories

LIGHT

S AU KIWI

ETON MESS AU KIWI

GOURMAND

MATÉRIEL

POUR 6 PERSONNES
PRÉPARATION 20 MIN
INGRÉDIENTS
• 6 kiwis • 60 g de mascarpone très froid • 50 g de sucre glace • 230 g de crème liquide entière très froide • 80 g de meringue • 4 brins de menthe

1. Épluchez les kiwis et coupez-les en petits dés. Déposez-les au fond de 6 verrines.

2. Dans un récipient, mélangez le mascarpone, le sucre glace et la crème liquide. Fouettez jusqu'à obtenir une crème épaisse.

3. Concassez la meringue. Répartissez la crème sur les kiwis et ajoutez les brisures de meringue. Décorez avec les brins de menthe.

ETON MESS AU KIWI

LIGHT

MATÉRIEL

POUR 6 PERSONNES
PRÉPARATION 20 MIN
INGRÉDIENTS
• 8 kiwis • 50 g de yaourt allégé très froid • 1 c. à soupe de stévia • 230 g de crème liquide allégée très froide • 50 g de biscuits roses de Reims

1.

Épluchez les kiwis et coupez-les en petits dés.

2.

Dans un récipient, mélangez le yaourt, la stévia et la crème liquide. Fouettez jusqu'à obtenir une crème homogène.

3.

Alternez les couches de kiwis et de crème dans 6 verrines. Concassez les biscuits roses, puis répartissez-les dessus.

Éclats de chocolat

Ganache
au chocolat

Une texture moelleuse
hypergourmande

Noix de macadamia
torréfiées

GOURMAND

756 calories

BROWNIE
AUX NOIX DE

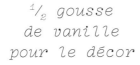

½ gousse
de vanille
pour le décor

Cultivée en Australie, Nouvelle-Zélande,
Thaïlande et Afrique du Sud, la noix
de macadamia apporte aux desserts une saveur
douce et du croquant. On peut la torréfier
ou la caraméliser. Attention, elle est très riche
en lipides et donc calorique, utilisez-la
avec parcimonie.

Ganache légère

*Brownie léger
et aérien*

479 calories

LIGHT

MACADAMIA

BROWNIE AUX NOIX DE MACADAMIA

GOURMAND

MATÉRIEL

POUR 6 PARTS	
PRÉPARATION 30 MIN	CUISSON 25 MIN

INGRÉDIENTS

BROWNIE
- 200 g de chocolat noir à 55 % de cacao
- 160 g de sucre en poudre
- 1 c. à café de levure chimique
- 120 g d'eau
- 1 c. à café de vanille en poudre
- 160 g de farine
- 60 g de noix de macadamia
- 4 blancs d'œufs

GANACHE AU CHOCOLAT
- 160 g de crème liquide
- 150 g de chocolat noir à 55 % de cacao

GARNITURE
- ½ tablette de chocolat noir

1. BROWNIE

Faites fondre le chocolat au bain-marie. Incorporez ensuite les autres ingrédients un par un, sauf les noix de macadamia et les blancs d'œufs, jusqu'à obtenir une texture homogène.

2.

Faites torréfier les noix au four. Concassez-les au rouleau, puis ajoutez-les à la pâte.

3.

Montez les blancs en neige bien mousseuse et non ferme, puis incorporez-les délicatement à la préparation. Versez la pâte dans le moule à manqué carré de 20 cm de côté, beurré et fariné. Faites cuire au four 25 min à 170 °C. Laissez refroidir.

4. GANACHE AU CHOCOLAT

Faites bouillir 60 g de crème, puis versez-la sur le chocolat concassé au couteau. Mélangez énergiquement au fouet jusqu'à obtenir une ganache bien lisse. Montez ensuite 100 g de crème très froide et incorporez-la à la ganache refroidie à l'aide de la spatule souple. Mettez la ganache dans la poche à douille.

5.

Coupez le brownie en 6 parts. Garnissez de ganache au chocolat. Vous pouvez décorer les parts de copeaux de chocolat réalisés à l'aide d'un Économe.

BROWNIE AUX NOIX DE MACADAMIA

LIGHT

MATÉRIEL

POUR 6 PARTS	
PRÉPARATION 30 MIN	CUISSON 25 MIN
INGRÉDIENTS	

BROWNIE
- 180 g de chocolat noir à 55 % de cacao
- 30 g de sirop d'agave
- 1 c. à café de levure chimique
- 120 g d'eau
- 1 c. à café de vanille en poudre
- 60 g de farine de riz
- 60 g de fécule de maïs
- 60 g de noix de macadamia
- 4 blancs d'œufs

GANACHE AU CHOCOLAT
- 60 g de crème liquide allégée
- 150 g de chocolat noir à 55 % de cacao

1. <u>BROWNIE</u>

Faites fondre le chocolat au bain-marie. Incorporez ensuite les autres ingrédients un par un, sauf les noix de macadamia et les blancs d'œufs, jusqu'à obtenir une texture homogène.

2.

Faites torréfier les noix au four. Concassez-les au rouleau, puis ajoutez-les à la pâte.

3.

Montez les blancs en neige bien mousseuse et non ferme, puis incorporez-les délicatement à la préparation. Versez la pâte dans le moule à manqué carré de 20 cm de côté, beurré et fariné. Faites cuire au four 25 min à 170 °C. Laissez refroidir.

4. <u>GANACHE AU CHOCOLAT</u>

Faites bouillir la crème, puis versez-la sur le chocolat concassé au couteau. Mélangez énergiquement au fouet jusqu'à obtenir une ganache bien lisse. Remplissez-en la poche à douille.

5.

Coupez le brownie en 6 parts. Garnissez de ganache au chocolat et décorez comme bon vous semble.

Copeaux
de noix de coco
fraîche

Blanc-manger
au lait de coco

Sablé biscuité
bien
gourmand

GOURMAND

846 calories

BLANC-
MANGER COCO

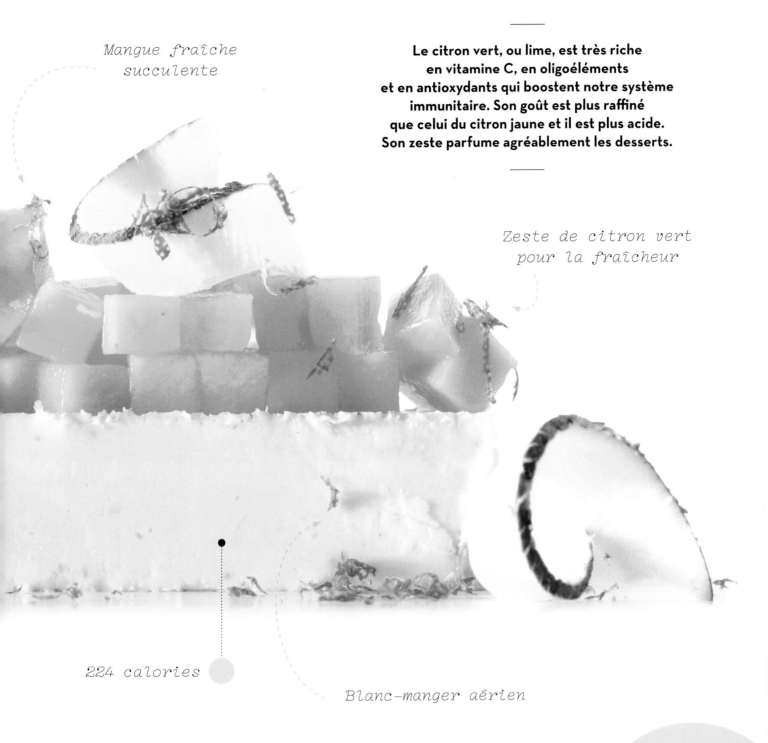

Mangue fraîche succulente

Le citron vert, ou lime, est très riche en vitamine C, en oligoéléments et en antioxydants qui boostent notre système immunitaire. Son goût est plus raffiné que celui du citron jaune et il est plus acide. Son zeste parfume agréablement les desserts.

Zeste de citron vert pour la fraîcheur

224 calories

Blanc-manger aérien

LIGHT

CITRON VERT

BLANC-MANGER COCO & CITRON VERT

GOURMAND

MATÉRIEL

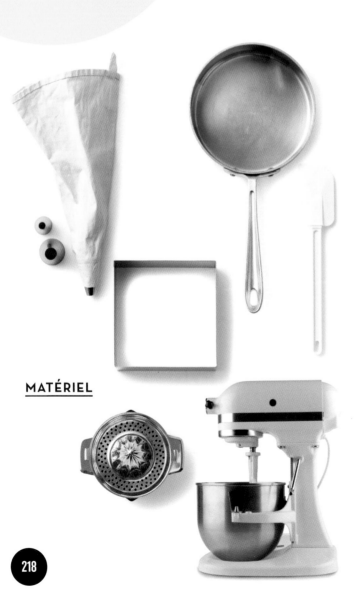

POUR 6 PARTS	
PRÉPARATION 30 MIN	CUISSON 5 MIN
RÉFRIGÉRATION 2 H 30	
INGRÉDIENTS	

SABLÉ
- 250 g de sablés bretons
- 100 g de beurre

BLANC-MANGER
- 3 feuilles de gélatine
- 180 g de lait concentré sucré
- 40 cl de lait de coco
- 1 gousse de vanille
- 1 citron vert

CHANTILLY
- ½ gousse de vanille
- 400 g de crème liquide entière très froide
- 90 g de sucre glace

GARNITURE
- 45 g de noix de coco fraîche

1. SABLÉ

Concassez finement les sablés ou mixez-les, ajoutez le beurre fondu et mélangez pour obtenir une pâte homogène. À l'aide d'une cuillère, tassez le mélange au fond du cadre carré à bord haut de 20 cm de côté, posé sur un plat. Mettez 30 min au frais.

2. BLANC-MANGER

Réhydratez la gélatine dans un bol d'eau froide. Faites bouillir dans une casserole le lait concentré et le lait de coco à feu doux. Ajoutez les graines de la gousse de vanille, le jus du citron vert, la gélatine égouttée et mélangez. Étalez le blanc-manger sur le fond de pâte et lissez. Placez 2 h au frais.

3. CHANTILLY

Grattez les graines de la vanille avec un couteau. Mettez tous les ingrédients dans la cuve d'un batteur et fouettez jusqu'à obtenir une crème ferme et onctueuse. Remplissez-en la poche à douille.

4. GARNITURE

Coupez le blanc-manger en 6 parts. Garnissez-les de pointes de chantilly et décorez de copeaux de noix de coco réalisés avec un Économe. Dégustez frais !

SUGGESTION

Vous pouvez servir ce dessert avec un peu de confiture de lait, de la chantilly ou de la crème glacée à la vanille.

BLANC-MANGER COCO & CITRON VERT

LIGHT

POUR 6 PARTS	
PRÉPARATION 25 MIN	CUISSON 5 MIN
RÉFRIGÉRATION 2 H	
INGRÉDIENTS	

BLANC-MANGER
- 1 citron vert
- 80 g de lait concentré non sucré
- 40 cl de lait de coco
- 4 c. à soupe de sirop d'agave
- ½ c. à soupe de mascarpone
- 1 gousse de vanille
- 2 blancs d'œufs

GARNITURE
- 1 mangue
- 40 g de noix de coco fraîche

MATÉRIEL

1. BLANC-MANGER

Zestez le citron vert et pressez le fruit.
Dans une casserole, faites bouillir le lait concentré,
le lait de coco, le sirop d'agave et le mascarpone
à feu doux. Laissez refroidir.

2.

Ajoutez les graines de la vanille et le jus de citron vert.
Montez les blancs d'œufs en neige et incorporez-les
délicatement au mélange refroidi. Étalez le blanc-
manger dans le cadre carré à bord haut de 20 cm de
côté, posé sur un plat et lissez. Placez 2 h au frais.

3. GARNITURE

Coupez le blanc-manger en 6 parts. Garnissez-les de
mangue coupée en petits dés et décorez de copeaux
de noix de coco réalisés avec un Économe et de
zestes râpés de citron vert.

4.

Dégustez frais !

SUGGESTION

Ce dessert léger s'accordera
parfaitement avec un coulis
de mangue.

INDEX

PAR INGRÉDIENT

Les chiffres en italique renvoient aux versions light des recettes.

Remerciements de Valentin Néraudeau

À Laurence et Étienne, mes grands-parents,
qui m'ont enseigné l'amour et le respect de la terre, des produits, et qui m'ont transmis leur savoir-faire.
À mes parents, Bénédicte et Pierre
À mes sœurs, Marie et Louise
À Émilie, Ewa, Valentine et Thomas
Merci à Céline Peyriguere, Fouede Zabaiou,
sans qui cette aventure n'aurait pas vu le jour, et à Vincent Perchey

::

Direction de la publication : Isabelle Jeuge-Maynart et Ghislaine Stora
Direction éditoriale : Émilie Franc
Édition : Ewa Lochet avec la collaboration de Maud Rogers et Claire Royo
Collaboration rédactionnelle : Claire Pichon
Conception graphique et couverture : Valentine Antenni
Mise en page : Émilie Laudrin et Lucile Jouret
Fabrication : Émilie Latour

L'Éditeur remercie la fromagerie Hardouin Langlet pour son accueil
lors des prises de vues sur le marché d'Aligre à Paris.

© Larousse 2019
ISBN : 978-2-03-597374-0

Photogravure : Nord Compo, Villeneuve-d'Ascq
Imprimé en Espagne par Graficas Estella
Dépôt légal : octobre 2019
323452/01 - 11040660 - août 2019

PAPIER À BASE DE
FIBRES CERTIFIÉES

LAROUSSE s'engage pour
l'environnement en réduisant
l'empreinte carbone de ses livres.
Celle de cet exemplaire est de :
2,5 kg éq. CO$_2$
Rendez-vous sur
www.larousse-durable.fr